CÓMO TOCAR LA
GUITARRA

Una guía didáctica paso a paso
con 200 fotografías

NICK FREETH

LIBSA

Agradecimientos:
El autor y el editor agradecen a las siguientes empresas
la aportación de ilustraciones:

© Marshall Amplification plc: páginas (abajo izquierda)
19, 139 (arriba).
© Roland Corporation: páginas (abajo derecha) 23,
136-137.
© TASCAM: página 135.
© Kaman Corporation: páginas 138 (arriba), 139
(abajo).
© Laney Amplification: página 138 (abajo).

Nuestro agradecimiento también a Dave Cook de Abbey
Music, Tunbridge Wells, Kent, por su desinteresada
cesión de guitarras y equipos para realizar las
fotografías.

© 2012, Editorial LIBSA
C/ San Rafael, 4
28108 Alcobendas. Madrid
Tel. (34) 91 657 25 80
Fax (34) 91 657 25 83
e-mail: libsa@libsa.es
www.libsa.es

ISBN: 978-84-662-2485-7

Derechos exclusivos de edición para todos
los países de habla española.

Traducción: Ladislao Castellanos Beltrán

© MMX, Anness Publishing Ltd

Título original: *How to play the guitar*

Contenido

Introducción

Este libro ofrece una guía a los principiantes sobre las técnicas para aprender a tocar la guitarra y también explica nociones básicas de música; este libro le enseñará a formar acordes y escalas, a tocar y rasguear líneas de solo y modelos rítmicos, y ayudará a comprender cómo estos elementos pueden combinarse en canciones y en melodías instrumentales, así como a escribirlos en notaciones y tablaturas. El autor no presupone conocimiento previo alguno, ni musical ni teórico, y como el libro rara vez se refiere a estilos específicos, será muy útil en cualquier género en el que esté interesado, tanto si quiere tocar guitarra acústica como eléctrica.

La mayoría de nosotros lee libros y revistas a una velocidad constante e invariable y, por tanto, se puede estar seguro del tiempo que nos va a llevar terminar de leer una novela o un artículo. Su progreso con este libro no estará tan controlado puesto que, tras asimilar rápidamente sus primeras páginas (que contienen consejos sobre elegir y comprar un instrumento), puede que encuentre los siguientes capítulos más lentos de seguir, mientras sus manos luchan para acostumbrarse a las tareas de tocar y rasguear la guitarra.

A medida que avanza en la lectura, cuando ya se ha desarrollado cierta velocidad y coordinación con las cuerdas, se enfrentará al reto de relacionar lo que toca con los puntos y símbolos de la página, un proceso exigente que parece imposible de lograr; se trata de la proeza de concentrarse en el mástil, la púa y la notación al mismo tiempo. El único modo que existe para superar estos problemas es mediante la práctica constante, que puede suponer emplear semanas en algunas secciones del libro hasta que las instrucciones y ejercicios estén dominados a la perfección. Aunque es muy agradecido al final, esto no se producirá de ninguna manera especialmente rápida y sin esfuerzo... y cualquier profesor de guitarra que le diga que lo va hacer así, de forma veloz y sin trabajo constante, está siendo bastante deshonesto.

Cuando llegue a las páginas finales del libro, habrá superado estas dificultades iniciales y estará preparado para tocar música real y no pasajes de la escala y diagramas de acordes. Dominar el contenido de este libro es solo, por supuesto, «el fin del principio» de dominar realmente el instrumento. Hay que pensar en ello como el equivalente de las «alas» de un piloto: una cualificación básica que le da un pilar sólido sobre el que edificar sus futuras aventuras musicales. Adónde y lo lejos que llegue después dependen de su talento, energía y deseo de ampliar sus conocimientos y habilidades. El proceso de aprendizaje para lograr tocar la guitarra (y en general cualquier instrumento musical) es largo pero muy satisfactorio. Si ha decidido aprender con este manual, buena suerte y diviértase.

ARRIBA. Aprender a tocar la guitarra es mucho más fácil con un instrumento con el que uno se sienta cómodo, además de que sea bello y suene bien.

LA NOTACIÓN

En este manual práctico se ha usado el cifrado musical anglosajón, que deriva de la notación griega y es de carácter alfabético. Aquí mostramos su correspondencia con la notación usada en países latinos.

E	F	G	A	B	C	D	E
(mi)	(fa)	(sol)	(la)	(si)	(do)	(re)	(mi)

Clave de sol

DERECHA Y PÁGINA ANTERIOR. Con la ayuda de este libro pronto estará rasgueando las cuerdas.

Elegir una guitarra y un amplificador

Las guitarras, como las motos y otros objetos de deseo, pueden producir una llamada seductora muy potente, incluso sobre los más experimentados compradores.

Como principiante, sin conocimiento práctico de los modelos que vea en la tienda, está en peligro de ser apabullado por el instrumento brillante y atractivo que puede que no sea el adecuado para usted, y esto le llevará a hacer una compra desastrosa.

El consejo que se ofrece en este capítulo debiera impedir que incurra en un error costoso al elegir su primer instrumento. Complemente este consejo echando un vistazo en varias tiendas de guitarras antes de ir a la tienda de música y, si fuera posible, lleve consigo a un amigo que sepa tocar y que pueda aportar consejos adicionales durante el proceso de selección. No se deje apabullar ni dirigir mientras realiza su proceso de selección, y evite acudir a tiendas de guitarras un sábado, cuando la tienda está más llena de personal, clientes y ruido.

La guitarra acústica

Las guitarras eléctricas y acústicas se tocan de la misma manera y normalmente se afinan de modo idéntico. Pero mientras que las guitarras eléctricas generan sonido con la ayuda de pastillas magnéticas incorporadas y deben conectarse a un amplificador para ser oídas apropiadamente, las guitarras acústicas pueden aumentar y proyectar las vibraciones de sus cuerdas sin asistencia electrónica. Hay diferentes tipos de guitarras acústicas, incluidas la clásica y la flamenca, «archtops» con cajas parecidas a violines y modelos que llevan resonadores metálicos. La más popular, y aquella en la que nos vamos a centrar en este libro, es la de tapa plana, que es usada por un amplio espectro de músicos de pop, rock, folk y blues y que ilustra estas páginas.

Las guitarras de tapa plana evolucionaron a partir de las guitarras clásicas de cuerdas de tripa, pero están hechas con más solidez que sus primas de estilo español, sobre todo porque tienen que soportar la tensión de las cuerdas de acero que les dan ese tono vivo y sonoro. Las cuerdas están unidas al **clavijero** del instrumento mediante una serie de **clavijas** mecanizadas. Después pasan sobre un bloque estriado llamado **cejilla**, por el **mástil** (recubierto con un **diapasón** y **trastes** de metal) y a lo largo de la **tapa** de la guitarra y de la **boca** hasta el **puente**. Este componente transfiere energía desde las cuerdas a la tapa y también ancla los extremos de las cuerdas que son empujadas a los orificios situados detrás de la **selleta**; quedan fijadas por sujeciones de madera.

Tipos de tapa plana

La guitarra de tapa plana de la fotografía es un modelo de pequeño tamaño cuyo mástil está unido al cuerpo por el 12.º traste, lo que restringe el acceso a algunas notas más altas, lo cual es una leve desventaja para muchos guitarristas, pero que se compensa con la comodidad, la conveniencia y el sonido dulce que ofrece este tipo de instrumento. Otros guitarristas prefieren el timbre más cá-

lido y potente de guitarras de tapa plana más grandes (las más grandes son conocidas como «jumbo» o «dreadnought») que tienen 14 trastes.

DERECHA. La acústica de tapa plana Larrivée «estilo Parlour» del autor.

HISTORIA DE LA GUITARRA

La guitarra se creó en España en el siglo XVI y muy pronto se extendió por toda Europa. En un principio tenía una caja muy pequeña, con cuatro o cinco pares de cuerdas de tripa. Su forma y configuración cambió considerablemente en las dos centurias siguientes. La figura más importante en su desarrollo fue Antonio de Torres (1817-1892), el español que creó la guitarra «clásica» moderna e influyó en muchos artesanos de ambos lados del Atlántico. Pero fueron empresas radicadas en Estados Unidos (algunas como Martin y Epiphone, fundadas por emigrantes procedentes de Europa) quienes innovaron el concepto de las guitarras con cuerdas de acero. Estas han sido rechazadas por los puristas (e incluso por los guitarristas actuales clásicos y de flamenco), pero fueron adoptadas con entusiasmo por los artistas populares a partir del siglo XIX.

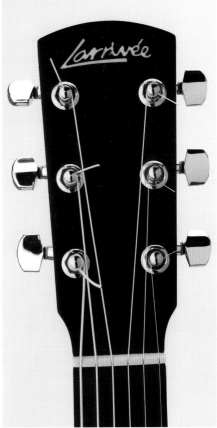

IZQUIERDA. El puente de ébano de la Larrivée, con su selleta de color crema y los pines punteados, está encolado a la tapa de pícea de Sitka.

ARRIBA. El clavijero del instrumento, cabeza y cejilla.

La guitarra eléctrica

La introducción de la pastilla electromagnética a principios de la década de 1930 permitió que la tranquila guitarra de sonido suave compitiera con la batería, el saxofón, la trompeta y otros instrumentos más «ruidosos».

La pastilla estaba formada por un imán y un rollo de alambre, ambos montados cerca de las cuerdas metálicas de la guitarra. Cuando las cuerdas se rasgueaban, su movimiento disturbaba el campo creado por el imán y producía pequeñas corrientes eléctricas en el rollo. Estas señales (que se correspondían con las notas o cuerdas que se tocan) se enviaban por un cable a un amplificador y a un altavoz. Las pastillas de hoy día, si bien son más compactas y eficientes que sus voluminosas predecesoras, funcionan de forma muy parecida.

Algunos instrumentistas que quieren amplificar sus instrumentos simplemente añaden pastillas a sus acústicas, pero se consiguen mejores resultados comprando una guitarra eléctrica «de verdad». Estas se dividen en cuatro categorías principales: «semiacústicas» de cuerpo hueco que dan un sonido melodioso, tirando al *jazz*; los diseños «thinline» y «semisólidos» tienen cavidades internas reducidas y, por tanto, ofrecen algo de la calidez tonal de una semiacústica en un modo más fino y manejable; por último, las «sólidas» prescinden del orificio tradicional en el cuerpo de la guitarra sustituyéndolo por una tabla de madera a la que van unidos el mástil, las pastillas y el puente.

La «Tele»

Las fotografías principales de estas páginas muestran un modelo sólido clásico, la Fender Telecaster, una superventas que lleva más de 50 años sin parar de producirse. La «Tele» lleva dos pastillas, una en la parte «frontal» (cuello), que da un timbre suave ideal para acordes y ritmos y una pastilla más potente «trasera» (puente), usada habitualmente para hacer solos. Pueden seleccionarse ambas, o cualquiera de las dos, mediante el in-terruptor situado a la derecha del puente. Debajo están los mandos del volumen y el tono. Los extremos de las cuerdas pasan por el puente y el cuerpo, y van anclados en unos orificios visibles en la parte posterior del instrumento. La toma para el cable del am-plificador está en el la-teral de la guitarra.

DERECHA. Una Fender Telecaster, de precio medio, fabricada en México.

IZQUIERDA. Un primer plano que muestra las pastillas, el puente y los mandos de la Telecaster. La pastilla inferior está angulada para potenciar la respuesta de los agudos.

IZQUIERDA. Esta toma, ingeniosamente diseñada, ayuda a mantener el cable de conexión del instrumento fuera del campo de acción del guitarrista.

ARRIBA. Una guitarra «hacha» barata de tres pastillas que sería ideal para un principiante.

Elegir una acústica

Seleccionar la primera guitarra acústica está muy lejos de ser fácil, por lo que es recomendable recibir consejo de un vendedor experto que lo ayude a realizar la mejor elección. Encuentre una tienda bien surtida y solicite ver guitarras acústicas con cuerdas metálicas y tapas planas, adecuadas para principiantes, preferiblemente con una gama amplia de tamaños y tipos. La más barata tendrá la tapa y el cuerpo laminados pues están hechos de capas delgadas de madera de alta calidad unidas a tiras de madera de inferior calidad. En el siguiente nivel hay modelos con tapas sólidas, pero con la parte posterior y los laterales laminados: una tapa hecha de pícea o de cedro sólidos siempre sonará mejor que sus rivales de contrachapado, si bien esta mejora tiene un precio más alto. Las mejores guitarras acústicas tienen las tapas, los laterales y la parte posterior sólidas, y su tono superior se suele suavizar con el tiempo.

ARRIBA. La distancia entre las cuerdas y los trastes en esta guitarra acústica se adaptará a la mayoría de los instrumentistas. Las eléctricas pueden tener su acción ajustada un poco más baja.

¿Cuál debe elegir? La respuesta depende de sus preferencias y de su presupuesto. Solicite al vendedor o a un amigo que toque la guitarra, que hagan una demostración de los instrumentos y, mientras escucha y compara, examine cada modelo y repase la lista de comprobación que aparece en la tabla de la página opuesta.

DERECHA. Esta es una guitarra atractiva, de tapa plana laminada en madera, fabricada en el Extremo Oriente e ideal para aprendices con un presupuesto ajustado.

Probar su guitarra

Sus respuestas a esto y su reacción al sonido de los instrumentos debiera acotar su selección a una lista de dos o tres. Tome asiento, coloque cada una de las «finalistas» en su muslo derecho y ponga las manos en la guitarra tal como se muestra en la fotografía (véase el cuadro de más adelante para los zurdos). Presione una o dos cuerdas hacia abajo sobre el diapasón con el dedo índice de su mano izquierda, primero junto a la cejilla y después más arriba hasta el cuello. Si parecen estar muy por encima del diapasón (véase la fotografía) y cuesta esfuerzo llevarlos hacia abajo, intente con otro modelo con menos **acción** y pregunte al vendedor sobre esto. A su vez, vuelva a

LISTA DE COMPROBACIÓN DE LA GUITARRA ACÚSTICA

¿Está bien acabada la guitarra?

Compruebe si hay:

- Grietas.
- Daños superficiales en el barniz o en la madera.
- Trastes con los bordes ásperos (pase su mano suavemente por los lados del diapasón, para detectarlos).
- Cola seca alrededor de la cejilla.
- Cola seca dentro del cuerpo (use una linterna pequeña para mirar dentro de la boca).
- Clavijas y pines en el puente sueltos o doblados.

¿Está el mástil recto?

Una guitarra con el mástil combado o doblado es difícil de tocar y tendrá mala entonación. Compruébelo mirando a lo largo del mástil. Si no está seguro al respecto, pregunte al vendedor o elija otro instrumento.

¿La guitarra vibra o hace un zumbido mientras se toca?

Si es así, solicite al personal de la tienda que busque el porqué de tales ruidos.

¿Le gustan la forma y el color?

Pasará mucho tiempo con el instrumento que compre, por lo que, además de sonar bien, sus contornos y acabado le tienen que gustar.

Agarre la guitarra y sujétela contra su cuerpo.

¿Se nota que la guitarra está bien equilibrada y es cómoda, o bien resulta demasiado grande y pesada para usted?

repasar el tamaño de cada guitarra y su peso: ¿cuál parece la más cómoda y la que se equilibra mejor?

La acústica que logre la puntuación más alta en esta lista y tenga el tono más agradable es la suya, ¡si es que se lo puede permitir! Mientras esté en la tienda, piense en comprar un juego de cuerdas sueltas, algunas púas de diversos tamaños y formas, y una funda o estuche para el instrumento si no los tiene ya.

ARRIBA. Sujete la guitarra de este modo para comprobar cómo la siente entre sus manos.

ARRIBA. Para algunos instrumentistas, la posición que se observa aquí, con el instrumento apoyado en el muslo izquierdo, es la más equilibrada y cómoda.

Elegir una eléctrica

La mayoría de los aspectos mencionados en las páginas anteriores son aplicables a la compra de una guitarra eléctrica, aunque haya algunos factores adicionales que considerar cuando se compra una. Si se siente tentado por los diseños clásicos estadounidenses, como la Les Paul de Gibson o la Telecaster y Stratocaster de Fender, merece la pena saber que estas y otras famosas «hachas» de Gibson y Fender están disponibles en una variada gama de precios y calidades. Gibson vende guitarras Les Paul de alta gama, fabricadas en Estados Unidos bajo su propio nombre, y versiones de presupuesto más bajo con marca Epiphone. Fender fabrica Teles y Strats con marca Squier bastante económicas, además de modelos Fender fabricados en (por orden ascendente de precio) México, Japón y California. Hay pocas diferencias en el aspecto visual de las versiones «económica» y «primera marca», pero en los instrumentos más costosos se emplean mejores materiales, componentes y mano de obra.

No restrinja su lista de comprobación a las guitarras diseñadas en Estados Unidos, puesto que hay un número creciente de buenas guitarras eléctricas europeas en el mercado, mientras que los fabricantes asiáticos son conocidos por su excelente relación calidad-precio, que incluyen modelos muy originales y chocantes. Algunas tienen formas de cuerpo muy poco usuales y extras, como elaborados sistemas de trémolo (véase la foto de la derecha). Pero asegúrese de que tales características no afectan al equilibrio de la guitarra o la hacen incómoda de sujetar al estar sentado. Los extras y añadidos nunca deben entorpecer el correcto uso de un instrumento.

Probar su «hacha»

Deberá realizar una audición por amplificador de los modelos que está considerando comprar. Cuando el vendedor efectúe las demostraciones, asegúrese de que el amplificador esté ajustado a un volumen medio, sin potenciar el agudo ni el bajo en los mandos del tono, y que no estén seleccionados efectos electrónicos (como reverberación o coros.)

Solicite escuchar la salida de las pastillas individuales en cada instrumento (las

IZQUIERDA. El cuerpo curvado de esta eléctrica sólida la hace especialmente cómoda de sujetar y tocar.

unidades montadas más cerca del diapasón tendrán un sonido más bajo, menos cortante que las que están más cerca del puente). Otro consejo muy útil es que cuando evalúe el tono, esté muy atento a excesivos zumbidos, ruido, interferencias eléctricas o degradación procedente de señales de radio.

Además de cuerdas de repuesto, púas, afinadores y una funda, necesita dos artículos: un amplificador (véanse las páginas siguientes) y un cable de conexión que debe tener al menos 3 m de largo, con un apantallamiento robusto y con enchufes de calidad. No se agobie por esta terminología porque pronto conocerá a la perfección cada uno de estos elementos.

IZQUIERDA. Muchas guitarras eléctricas, incluso modelos económicos como este, llevan barras «Whammy» que le permiten variar el tono de sus cuerdas.

LOS ZURDOS Y LA GUITARRA

La mayoría de los instrumentistas zurdos prefieren usar la mano derecha para tocar las cuerdas y necesitan comprar instrumentos adaptados con cuerpos, puentes y cejillas modificados, tapas de resonancia alteradas (en las acústicas) y cambios en la configuración de la pastilla (en las eléctricas). Algunos fabricantes producen esto sin coste añadido, pero otros incrementan hasta un 10% extra.

Al formar acordes y escalas, las posiciones de los dedos de los zurdos en el mástil son «imágenes» de espejo respecto de las usadas por los instrumentos diestros, aunque los dedos reales asignados a cada cuerda (1.ª, 2.ª, etc.) permanecen invariables.

DERECHA. A diferencia de muchos zurdos, Jimi Hendrix tocaba normalmente guitarras de diestros, girando sus cuerpos e invirtiendo la cuerdas, un método que coloca el corte del cuerpo y los controles de la pastilla en «mala posición».

El amplificador

Los amplificadores y altavoces son parte integral del equipo de cualquier guitarrista eléctrico, no solo para potenciar el sonido, sino para dar forma y modificar la salida de las pastillas del instrumento. A diferencia del equipo de alta fidelidad y de estudio, que nivela la respuesta de frecuencia y los niveles mínimos de distorsión y coloración, los amplificadores de la guitarra están diseñados específicamente para dar énfasis a zonas del espectro que mejoran el sonido de la guitarra y, cuando es necesario, generan sobrecargas y otras «impurezas» para efectos musicales. Los amplificadores deben ser lo bastante robustos para soportar cierto grado de uso severo y resistir largos periodos de funcionamiento a alto volumen.

La mayoría de los guitarristas usan amplificadores a válvulas cuyo tono cálido y suave puede fácilmente convertirse en un sostén para cantar, o bien en una distorsión rica y ronca. Pero los amplificadores de válvula son grandes y costosos (el Kustom 12A mostrado en la imagen inferior es una rara excepción), mientras que los modelos más baratos y transistorizados que suenan tan bien como los otros pueden ser más prácticos y convenientes para algunos instrumentistas, especialmente los principiantes. Casi todos los amplificadores de estado sólido se suministran como combinados, con uno o dos altavoces incorporados. Los amplificadores a válvula también se encuentran en forma de combinado o como unidades separadas emparejadas con armarios de altavoz para crear un «stack».

Tamaño del amplificador de potencia y del altavoz

Cuando compre un amplificador, compruebe su salida de potencia especificada en **vatios RMS** (raíz media cuadrática). Otras formas de medición que usan a veces los fabricantes y vendedores son engañosas y hay que hacer caso omiso de ellas. Recuerde que el amplificador más potente siempre funcionará mejor, incluso a volúmenes tranquilos, que uno con menos potencia; y no olvide que las unidades transistorizadas que envían menos de 30 vatios RMS pueden pasarlo mal para gestionar algo más exigente que las sesiones de práctica o ensayo. (Los amplificadores a válvulas con especificaciones modestas tienden a suministrar salidas más altas; modelos con tan poco como 10 vatios pueden tener mucha pegada.) Asegúrese también de que el altavoz que va en el combinado tiene al menos 20,3 cm de diámetro, pues algo más pequeño no hará justicia a las notas más bajas de su guitarra.

ARRIBA. Un combinado para guitarra ligero y compacto, de estado sólido.

ABAJO. El Kustom Tube 12A es el amplificador a válvulas más pequeño y barato que existe.

FONDO A LA IZQUIERDA. El panel de control de un Kustom Tube 12A. Su circuito de «ganancia» puede producir varios grados de «sobrecarga» y distorsión.

IZQUIERDA. Su amplificador juega un papel esencial a la hora de determinar su sonido global. Asegúrese de comprar uno que saque lo mejor de su «hacha».

IZQUIERDA. Un clásico «stack» de Marshall, la compañía británica que creó por primera vez el concepto en la década de 1960. Comprende un amplificador de válvulas de 100 vatios JCM800 y dos armarios, cada uno con un altavoz de 30,5 cm.

Conocimientos básicos para tocar

Su decisión de convertirse en un guitarrista seguramente fue alimentada por la fantasía de ser capaz de hacer solos impresionantes con su guitarra a partir de un mínimo estudio y práctica; ahora, cuando mira su nuevo instrumento, desearía saber alguna fórmula mágica instantánea que le permitiera tocarlo con el virtuosismo, sin esfuerzo, que ha alcanzado en sus sueños.

La realidad, por supuesto, es que aprender a tocar la guitarra no es tan rápido y sencillo, tal como descubrirá en las páginas siguientes, las cuales describen una gama de conocimientos técnicos básicos que necesitan ser asimilados tan a fondo que se convertirán en algo natural para usted. Este proceso lleva tiempo y exige paciencia, pero a medida que logre poner sus manos en posiciones nuevas y sufra dolor en las puntas de los dedos y en los músculos, puede estar seguro de que el trabajo arduo le está llevando, despacio pero con seguridad, hacia su objetivo último: dominar la guitarra.

Afinar

Al llevar la guitarra a casa y desempaquetarla, estará impaciente por empezar a tocar, pero hay una tarea preliminar que hay que dominar: afinar el instrumento. Esto implica verificar el tono de las cuerdas con relación a una fuente exterior fiable, como un piano o el teclado de un sintetizador, un afinador o un afinador electrónico.

Elija lo que elija, téngalo a mano cuando se siente para afinar la guitarra (daremos más detalles al respecto sobre su postura en las dos páginas siguientes). Si tiene una guitarra eléctrica, enchúfela a su amplificador antes de conectar la potencia, lo que evita golpes de corriente que pueden dañar el cono de su altavoz. Coloque el volumen del amplificador en un nivel medio-bajo, suba el volumen de su guitarra al 75% aproximadamente y seleccione la pastilla del puente, pues su tono más claro ayuda a afinar mejor.

Su guitarra tiene seis cuerdas. La más delgada y con el tono más agudo es la primera o número 1, la siguiente hacia abajo es la segunda y así sucesivamente. Cada una está **afinada** en una **nota** concreta que se expresa mediante una letra del alfabeto. (No se deje intimidar por los términos misteriosos iniciales que se usan para las notas y otros aspectos técnicos musicales porque este libro resolverá sus dudas.) A continuación aparece una lista de tonos normalizados de guitarra y un diagrama que muestra dónde pueden encontrarse en el teclado.

Afinación con un teclado

Cuando afine su guitarra con un piano, primero compruebe que está en **tono de concierto** (véase los «Términos usuales») o, mejor aún, use un teclado digital, pues estos nunca se desafinan.

Encuentre la tecla E correspondiente a la primera cuerda de la guitarra y púlsela,

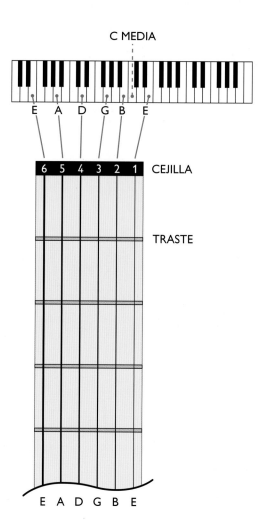

- La 1.ª cuerda se afina en las dos «notas blancas» de E, sobre la C media del teclado.

- La 2.ª cuerda se afina en las tres «notas blancas» de B, debajo de E en el teclado (una nota blanca debajo de la C media).

- La 3.ª cuerda se afina en las dos «notas blancas» de G, debajo de la B.

- La 4.ª cuerda se afina en las tres «notas blancas» de D, debajo de la G.

- La 5.ª cuerda se afina en las tres «notas blancas» de A, debajo de la D.

- La 6.ª cuerda se afina en las tres «notas blancas» de E, debajo de la A.

entonces puntee inmediatamente la cuerda superior E con un dedo de la mano derecha o una púa (véase la fotografía que está a la derecha).

Si los dos tonos son idénticos, la cuerda está afinada. Si la nota de la cuerda es más «baja» que la del piano (el término musical para esto es **bemol**), siga comparando mientras tensa poco a poco la cuerda girando su clavija con la mano izquierda (véase la fotografía de abajo).

Cuando ambos tonos convergen apreciará un efecto de «latido» que desaparece una

vez que coinciden exactamente. Si la cuerda es **sostenida** (con un tono demasiado alto) en relación al teclado, aflójela en vez de apretarla. Una vez que esté ajustada correctamente, afine las otras cinco cuerdas del mismo modo.

Usar un afinador
Si usa un afinador, sujételo con su mano izquierda o con la boca, y sople cada lengüeta mientras toca y ajusta la cuerdas como se ha explicado antes (véase la fotografía de abajo a la izquierda).

Usar un afinador electrónico
Los afinadores electrónicos le dan una indicación visual muy precisa (mediante un medidor o indicador visual incorporado) del tono de las cuerdas de su guitarra, de manera que no tendrá que fiarse de su «oído» cuando las afine. A su vez, llevan micrófonos incorporados y tomas de entrada para instrumentos eléctricos, y a menudo pueden conectarse entre la guitarra y el amplificador para dar comprobaciones de afinado siempre que se desee.

ABAJO. Un afinador electrónico fiable que funciona por batería, ideal para instrumentos acústicos y eléctricos.

Prepárese para tocar

Ahora que ha afinado el instrumento, tómese un momento para sentirse cómodo y a gusto antes de empezar a tocar en serio. Si ha estado sentado cerca de un piano o de un teclado de sintetizador, aléjese para tener más espacio y mire alrededor por si hubiera obstáculos potenciales, especialmente muebles puntiagudos que puedan dañar el acabado de su guitarra en un choque accidental. En una situación ideal, la zona donde practique debe tener poco más que una silla recta con un buen soporte y sin brazos, y un atril de música para apoyar este libro.

DERECHA. Forma «clásica» de sujetar una guitarra, cómoda pero no roquera.

Cuando se siente a tocar, su guitarra debe estar equilibrada con firmeza en uno de sus muslos y su cuello levemente estirado hacia arriba. Su mano izquierda debe poder moverse arriba y abajo del diapasón sin incomodidad ni tensión, y no tiene que estar pensando en tener que sujetar el instrumento. Los dedos de la mano derecha han de estar casi en paralelo a la cuerdas. Procure que la muñeca derecha no descanse en el puente porque esto puede ensordecer el sonido, afectando al ángulo de toque de su púa o dedos y estropear así el tono. Resístase a la tentación de tocar erguido, al menos de momento, porque aunque le guste, traerá complicaciones adicionales que le impedirán progresar.

Las fotografías muestran cuatro posturas básicas usadas por los guitarristas sentados. El método «clásico» (arriba a la derecha), con una banqueta que sube un poco la pierna que sujeta la guitarra, asegura la libertad óptima de movimiento para ambas manos, pero la mayoría de los instrumentistas no clásicos prefieren las posturas más relajadas que se muestran en las demás imágenes, en las que la guitarra se apoya en el muslo derecho, o en el muslo izquierdo cruzado sobre el derecho.

DERECHA. Esta postura de pierna cruzada eleva el muslo izquierdo, dando buen equilibrio y apoyo.

Las uñas y las puntas de los dedos

Por último, examine el estado de las uñas de la mano izquierda, que deben estar lo más cortas posible. Las uñas largas le impedirán conseguir buenas notas y acordes, además de dejar arañazos en la superficie del diapasón. Incluso artistas con uñas elegantes como Dolly Parton se cortan las uñas antes de cualquier actuación seria. Esto es un sacrificio lamentable pero esencial que deben hacer todos los guitarristas. También le avisamos de que le van a doler y se le van a inflamar las puntas de los dedos de la mano izquierda, una vez que se vean expuestos a las presiones de colocarlos sobre el traste. Aun así, el problema no es tan serio como antes gracias a la acción más suave de las guitarras actuales y a la tensión más leve de las cuerdas. Con suerte, en unas pocas semanas, desarrollará gruesas callosidades en las partes de los dedos en contacto con las cuerdas y logrará llegar a los acordes más exigentes sin mucho dolor.

ARRIBA. Las uñas de la mano izquierda del guitarrista deben estar bien cortadas y sin roturas ni picos irregulares.

IZQUIERDA. Esta postura fácil e informal la usan mucho los guitarristas no clásicos.

ARRIBA. Otra postura cómoda y equilibrada de sujetar su guitarra.

El uso básico de la púa

Mientras afinábamos no hemos prestado mucha atención a la forma correcta de rasgar las cuerdas, pero ahora vamos a hacer algo más musical en la guitarra. Es importante aprender algunas técnicas simples con la mano derecha que ayudarán a producir un tono tan limpio y claro como sea posible.

En un principio nos vamos a centrar en tocar con una **púa** en vez de con los dedos separados de la mano derecha. Las púas son preferidas por la mayoría de los guitarristas por su precisión, percusión y el sonido definido que crean. Las púas se fabrican en varias formas y grosores, pero todas tienen el extremo en punta para que haga buen contacto con las cuerdas. Sujete su púa entre los dedos pulgar e índice de la mano derecha. La púa debe estar recta con un centímetro más o menos entre la punta y la pinza de los dedos. Ahora coloque su muñeca derecha y la mano sobre las cuerdas de la guitarra, como se muestra en la primera fotografía, y coloque la púa justo encima y detrás de la 4.ª cuerda (D). Mueva la mano hacia abajo desde la muñeca; trate de mantener el antebrazo quieto y relajado, rasgue la 4.ª cuerda sin sujetarla por el traste con la punta de la púa y pare antes de que llegue a la 3.ª cuerda (G). (Véanse las fotografías y el diagrama.)

Practique el **rasgueo descendente** (el término técnico para lo que acabamos de hacer) solo con esta cuerda hasta que no se le atasque la púa, o no toque sin querer las cuerdas adyacentes.

Intente rasguear más pero con menos vigor y escuche los cambios resultantes en el volumen y el tono, pero no use de-

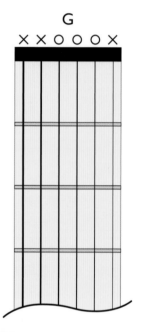

ARRIBA. En este manual presentaremos diagramas como este del mástil para mostrarle las cuerdas (y después dónde colocar los dedos) para usar los acordes. Una X arriba significa que no debe rasguear la cuerda; una O significa que debe rasguearse abierta (sin trastes). El nombre del acorde (G) se da encima del diagrama.

IZQUIERDA. Para prepararse para tocar una nota, la púa se desplaza hacia abajo, hacia la cuerda D (4.ª) abierta...

masiada fuerza porque puede causar zumbidos y ruidos no musicales si las cuerdas tocan los trastes. Mientras toca, verá que está sujetando instintivamente el mástil del instrumento con la mano izquierda. Evite hacer esto y deje que el brazo izquierdo caiga a su costado permitiendo que su antebrazo y muslo derechos mantengan la guitarra en posición.

Cuando esté contento con el sonido que está creando, intente entonces su primer acorde (una versión básica de G mayor; veremos el nombre de los acordes en las siguientes páginas) rasgando las cuerdas 4.ª (D), 3.ª (G) y 2.ª (B) sucesivamente, usando un solo toque y dejando resonar las notas una vez tocadas. (Es muy fácil amortiguar sus vibraciones con la mano derecha; asegúrese de que esta no toca las cuerdas.)

Empiece tocando despacio y aumente después la velocidad de su toque hasta que las tres notas suenen casi simultáneamente. Esta forma de tocar rápido las cuerdas adyacentes se llama **rasgueo** y es una de las técnicas más importantes de la guitarra que exploraremos más detalladamente en las siguientes páginas.

IZQUIERDA. .... y la toca.

ABAJO. La púa descansa después de hacer sonar la última nota (B) del acorde de tres cuerdas (G).

Cuerdas abiertas y notas con trastes

Tal como acaba de descubrir, el rasgueo consiste en usar un barrido de la púa para tocar las cuerdas vecinas entre sí. Cuantas más notas pueda tocar de una vez, más sonoros serán sus acordes (y es fácil construir cuatro, cinco y seis armonías de notas en la guitarra usando combinaciones de cuerdas abiertas con trastes).

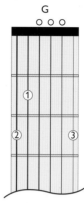

IZQUIERDA. El acorde G en la forma de diagrama. Solo se ilustran las primeras tres posiciones con traste; los números rodeados con un círculo en las líneas de «cuerdas» muestran los dedos que hay que usar para cada nota.

Vamos a empezar dando una nota alta extra en el acorde D abierto (4.º), G (3.ª) y B (2.ª) que acaba de aprender. Esto vendrá de la 1.ª cuerda, que se afina a E, pero no se puede dar una G si se presiona detrás del 3.er traste en el mástil (véase la fotografía). Intente hacer esto con el tercer dedo de la mano izquierda. Puede que no parezca el dedo más apropiado, pero pronto comprenderá por qué lo hemos elegido. Ponga su yema del dedo en la 1.ª cuerda, justo en medio del espacio entre el 2.º y el 3.er trastes, y deje descansar la base de su pulgar en el lateral del mástil para dar apoyo, tal como se ve en la fotografía. Evite tensarse o agarrar el mástil demasiado fuerte. Presione la yema contra la cuerda, sujetándola contra la madera del diapasón. Mantenga la parte superior de su dedo en un ángulo recto con el mástil y no permita que toque la cuerda B (2.ª) adyacente. Ahora con la púa en la mano derecha toque la G con traste. ¿La nota que se produce suena limpia o genera un zumbido mientras intenta sujetar la cuerda? Si tiene algún problema, asegúrese de que la uña del dedo de la mano izquierda no está en medio (véanse los comentarios anteriores). Puede que encuentre que la presión sobre la cuerda le produce dolor en la yema del dedo; si ocurre esto, descanse antes de intentar la nota otra vez.

Una vez que haya dominado el proceso de manejar los trastes, rasguee las cuatro

ARRIBA. La 1.ª cuerda está sujeta en el 3.er traste para producir una G. La colocación de los otros dedos aún no es crítica en esta etapa mientras no estorben ni se interpongan en las demás cuerdas.

cuerdas superiores de la guitarra con la púa. Los resultados son resonantes y agradables, pero la nota más baja, la D abierta en la 4.ª cuerda, deja el acorde sonando de forma insatisfactoria e incompleta. Esto se puede remediar añadiendo una nueva nota de abajo, una G baja de la 6.ª cuerda, con el 3.er traste sujeto, mientras se mejora aún más la textura con una B del 2.º traste en la 5.ª cuerda. Use su segundo dedo en la 6.ª, y su dedo índice para la 5.ª; manténgalos rectos para que no toquen ninguna cuerda contigua. Puede que sea demasiado el acorde de las seis cuerdas por primera vez, así que deje la 1.ª cuerda G hasta que hayan desaparecido los zumbidos o los sonidos de notas parciales.

IZQUIERDA. Dos nuevas notas para nuestro acorde G: G y B. Estos se sujetan en el traste mediante el segundo y primer dedos en la 6.ª y 5.ª cuerdas, mientras el tercer dedo se mueve hacia la G de arriba en la 1.ª cuerda.

ARRIBA. Digitación de los dedos de la mano izquierda para el acorde completo G con las seis cuerdas.

DERECHA. Sujete las notas en los trastes con firmeza, pero asegúrese de que su segundo y primer dedos no tocan accidentalmente las cuerdas a su derecha.

Acordes mayores y menores

Después de rasguear su guitarra, pruebe a sonar sus seis notas individuales más despacio, empezando con la cuerda más baja (6.ª) y terminando con la 1.ª. Entonces, usando rasgueos diferentes, suene la 6.ª, seguida de la tercera abierta, y la primera. Las tres notas, que comparten el mismo nombre, G, se parecen mucho entre sí, y hay una explicación científica sencilla para su similitud: cada una vibra a una frecuencia (medida en ciclos por segundo o hercios) exactamente el doble del tono que su predecesora. La G baja en la 6.ª cuerda con traste se mide a 98 Hz, mientras que la tercera cuerda G vibra a 196 Hz y la primera cuerda G a 392 Hz. Estas cifras las puede observar en un sintonizador de guitarra eléctrica.

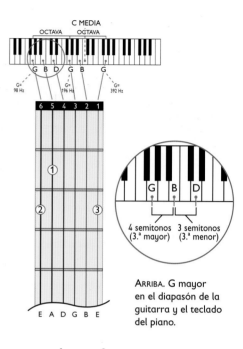

ARRIBA. G mayor en el diapasón de la guitarra y el teclado del piano.

Los músicos describen las notas relacionadas de esta manera en **octavas**. La palabra viene de la palabra latina para «ocho» y las tres G de su acorde se encuentran a ocho notas blancas aparte (contando globalmente de G a G) en el teclado del piano, tal como se ve en el esquema de la siguiente página. Para situar otro **intervalo** de octava en el acorde, elija las cuerdas 5.ª y 2.ª que son ambas B; la restante nota (la D abierta en la 4.ª cuerda) no tiene octava «doble».

Como hemos demostrado, al añadir las G adicionales a la 5.ª cuerda B, nuestro acorde suena más lleno y fuerte. Pero tales duplicidades no alteran sus ingredientes básicos, que son simplemente G, B y D. Por el diagrama del recuadro puede ver que hay cuatro «pasos» de teclas negras y blancas entre G (la tecla «raíz» del acorde) y B, y tres que separan B y D. Los músicos llaman a estos intervalos **semitonos** (véase el panel) y describen un intervalo de cuatro semitonos como una **tercera mayor**. La presencia de tal intervalo entre la raíz G y B define nues-

tra cuerda como **mayor;** como las cuerdas se denominan normalmente por sus notas raíz, esta es conocida como **G mayor** (o simplemente **G**).

En contraste, las cuerdas **menores** solo tienen tres semitonos (una **tercera menor**) que separan sus primeras dos notas, un intervalo menor que crea una modo más melancólico. La más fácil de tocar en guitarra de todas las menores es E menor, que usa aún más cuerdas abiertas que el acorde G que usted ya domina. Su base o raíz (E) la da la 6.ª cuerda abierta, y sus tres notas altas (G, B y E) proceden de la 3.ª, 2.ª y 1.ª sin traste. Lo llenaremos con una B de la 5.ª cuerda y una E de la 4.ª cuerda contigua; estas se sujetan en el segundo traste por (respectivamente) con el segundo y tercer dedos. Recuerde mantener los dedos a 90° del mástil y no deje que toquen las cuerdas abiertas 6.ª y 3.ª. Una vez que ha posicionado la mano izquierda correctamente, rasguee todas las cuerdas y disfrute del resultado.

E menor

ARRIBA. Las cuatro cuerdas abiertas del acorde E menor le dan un tono brillante y sonoro.

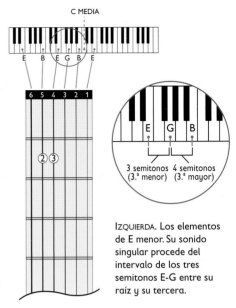

DERECHA Y ABAJO. Así se ponen los dedos en el traste y se toca el acorde de E menor.

IZQUIERDA. Los elementos de E menor. Su sonido singular procede del intervalo de los tres semitonos E-G entre su raíz y su tercera.

NOMBRES DE SEMITONOS Y NOTAS

El semitono es el intervalo más pequeño «oficialmente» reconocido en la música estándar occidental. Las teclas contiguas del piano producen notas que distan entre sí un semitono, mientras que en la guitarra cada traste corresponde a un semitono y el tono de sus cuerdas sube por pasos de semitono cuando la mano izquierda del instrumentista se mueve por el diapasón y se detiene sucesivamente en posiciones más altas.

Una octava está formada por 12 semitonos, que se identifican usando un ciclo recurrente de nombres de notas tomados de las primeras siete letras del alfabeto, aumentadas con los términos **sostenido** (sharp, #) y **bemol** (flat, ♭). Una nota con sostenido sube un semitono y una con bemol baja lo mismo. (Por razones que explicaremos más adelante, a la notas sostenidas y bemoles se les dan a veces nombres alternativos, como B♭ puede ser llamada A#, C# puede ser llamada Db, etc.) El diagrama de la derecha muestra la posición de estos tonos de semitono en el teclado del piano y de los primeros trastes del mástil de la guitarra.

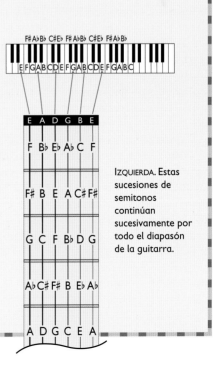

IZQUIERDA. Estas sucesiones de semitonos continúan sucesivamente por todo el diapasón de la guitarra.

Armonías básicas para G mayor y C mayor

Las versiones de seis cuerdas de G mayor y E menor que acaba de aprender son dos de los acordes más comunes en la música de guitarra, donde se combinan a menudo con una de las «favoritas»: C mayor y D mayor. Las posiciones de los dedos para las nuevas formas aparecen ilustradas en la fotografía y en el diagrama de la página siguiente. Observe que las X que están encima de la 6.ª cuerda en la forma C, y sobre la 6.ª y la 5.ª en la D, le dicen que las cuerdas marcadas no deben hacerse sonar. Cuando toque el acorde C, debe empezar a tocar con la púa desde el C con traste en la 5.ª cuerda, y empiece el acorde D con la cuerda 4.ª (D) abierta.

En primer lugar, conseguir que los dedos de la mano izquierda sujeten estas cuerdas en los trastes será un proceso lento y doloroso, y observará que lleva aún más tiempo cambiar de forma a forma. La única manera de sobreponerse a la incomodidad y generar fluidez es la práctica constante, lo que hará que cambiar de cuerdas sea un acto totalmente reflejo. Pero puede acelerar el proceso «visualizando» los movimientos de los dedos cuando no tenga el instrumento, e incluso imitándolos como si tuviera una guitarra en las manos, pero probablemente querrá hacer esto cuando no lo vea nadie.

Mientras rasguea G, E menor, C y D sucesivamente, se dará cuenta de que la secuencia de armonías tiene ecos y pistas de incontables canciones del pop. Inténtelo en un orden diferente (por ejemplo, G, D, E menor, C y vuelta a G) y también le recordarán otros números familiares. Empezará a darse cuenta de cómo los acordes se relacionan entre ellos. Ir de la G a la D es un poco como empezar una frase y dejarla colgando a medias; y pasar a través de C y

E menor solo intensifica la nostalgia musical por volver a G, mientras que parece ser la cuerda «raíz» de las cuatro. Estudiaremos los conceptos técnicos que están detrás de estos efectos subjetivos con más detalle, pero por ahora todo lo que necesita saber es que los acordes que ha estado tocando son las armonías básicas para la **tecla** de G mayor. Las otras tonalidades usan sus propias cuerdas de la misma manera para crear las sensaciones de tensión y liberación musical que usted ha estado experimentando.

ARRIBA. C mayor es un acorde relativamente fácil, pues el tercero, segundo y primer dedos adoptan naturalmente esta forma.

Acordes para G mayor

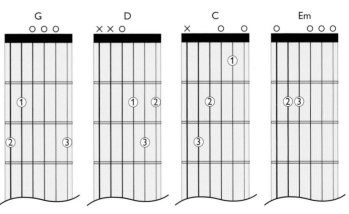

Para demostrar esto, exploremos los cuatro acordes básicos para C mayor. Usted ya sabe dos de ellos: C (el acorde «raíz» en la nueva tecla) y G; y están combinados con A menor y F, una forma que supone un reto particular, pues necesita que usted sujete por el traste dos notas (la F en el primer traste/1.ª cuerda, y la C en el primer traste/2.ª cuerda) simultáneamente con el dedo índice de la mano izquierda. Baje de tono a través de las dos cuerdas (véase la fotografía de abajo a la derecha) y después presione hacia abajo, mientras mantiene el segundo y tercer dedos en la posición normal, de ángulo recto respecto al mástil. Una vez que pueda tocar estos cuatro acordes con limpieza, procure rasguearlos en combinaciones diferentes (como hizo con los acordes de G mayor) y escuche cómo trabajan juntos.

Acordes para C mayor

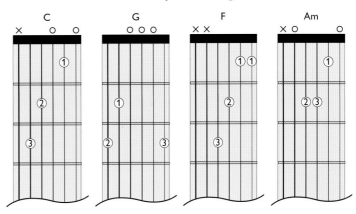

ABAJO. En A menor observe que el dedo meñique, aunque permanece cerca de la 1.ª cuerda, no la está tocando.

ARRIBA. La colocación del tercer dedo en el 3.er traste/2.ª cuerda para el acorde D requiere tiempo hasta acostumbrarse.

DERECHA. F mayor, con el dedo índice sujetando la 1.ª y 2.ª cuerdas en el 1.er traste.

Dos claves mayores más

Los tres acordes mayores primarios en cualquier tonalidad –tales que las armonías básica G mayor G, D, C y C mayor (C, G, F) que ha estado tocando– son conocidas como «el truco de los tres acordes». Como hemos visto, forman la base para una gran cantidad de música popular y con su conocimiento adicional de los denominados acordes «relativos menores» para G y C (E menor y A menor), puede decir que domina el «truco de los tres acordes más uno» en ambas tonalidades. Cuando haya trabajado en estas dos páginas, habrá doblado su repertorio de acordes y pronto podrá usarlos para una amplia gama de canciones y melodías, aunque aún no se sentirá listo para seguir el consejo del «fanzine» punk-rock de mediados de los setenta, que llenó media página con unos cuantos garabatos de diagramas de acordes y les dijo a sus lectores que ¡formaran un grupo musical!

ARRIBA. Dependiendo del tamaño de los dedos, puede necesitar colocarlos en un leve ángulo del traste cuando forme un acorde A.

Vamos a empezar aprendiendo las cuatro formas principales de D mayor. Al igual que C mayor, usa dos acordes familiares (D y G) y dos nuevos. El primero es bastante sencillo: A mayor de cinco cuerdas, en el que el dedo índice, el segundo y el tercero se alinean en la posición del 2.º traste para subir el tono de las 4.ª, 3.ª y 2.ª cuerdas. El segundo, B menor, tiene más truco. Este es un acorde de cuatro cuerdas (no se suenan ni la 6.ª ni la 1.ª cuerdas), lo que requiere emplear su cuarto dedo para sujetar la 3.ª cuerda en el 4.º traste. Hasta ahora no hemos usado el dedo meñique, y serán necesarios algunos días de práctica con suavidad y cuidado para que se vuelva fuerte y ágil. Mientras, tenga cuidado de no forzarlo (ni los otros dedos de la mano izquierda), tómese descansos regulares mientras toca y pare inmediatamente si nota tensión o dolor excesivos.

El «truco de los tres acordes» para A mayor comprende A y D, así como una sexta cuerda E igual que la forma E menor que ya sabe. Simplemente, añada su dedo índice a la 3.ª cuerda en el 1.er traste para transformar su **tercera menor** (véase anterior). Una vez más, el relativo menor, F sostenida menor, presenta el mayor desafío. Puede encontrar las notas más altas del acorde en el 2.º traste de la 3.ª, 2.ª y 1.ª cuerdas; pero también necesita una baja F sostenida para completar la armonía y esto debe venir de la cuerda vecina, la 4.ª. La única manera de llegar a todas estas notas es poner el dedo

Acordes para D mayor

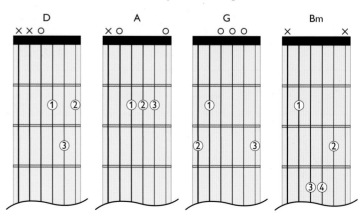

Acordes para A mayor

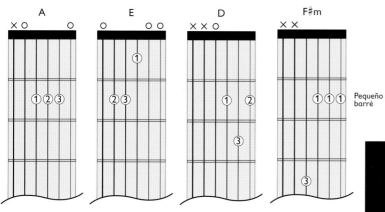

ABAJO. El acorde menor con barré F#. Si no lo puede manejar al principio…

ABAJO AL FONDO. … ¡deje que el segundo dedo haga algo de esfuerzo!

índice en las tres cuerdas superiores del 2.º traste y presionarlas a la vez, dejando libre el tercer dedo para la F sostenida de abajo.

ABAJO. El dedo meñique entra en acción, sujetando un B (4.º traste/3.ª cuerda) en este acorde de cuatro cuerdas B menor. Las 1.ª y 6.ª cuerdas permanecen en silencio.

El término técnico para lo que está haciendo su dedo índice aquí es *petit barré* (pequeño barré; más adelante veremos el *grand barré* o barré grande). Como usted ha sujetado al traste dos cuerdas con el mismo dedo cuando tocaba un acorde F, manejar tres es mucho más difícil. Siga trabajando en ello: si el dedo índice no se mantiene en su sitio, ayúdelo temporalmente con el 2.º dedo (véase la fotografía).

Tocar moviendo la púa hacia arriba y hacia abajo

Las últimas páginas de esta sección se han centrado en los acordes y el desarrollo de las técnicas básicas con la mano izquierda. Nos hemos ocupado bastante menos de la mano derecha y ahora es el momento de remediarlo.

DERECHA. El ejercicio «Westminster Chimes» (Cuartos de Westminster) comienza con un movimiento hacia abajo en la cuerda G abierta.

CENTRO. Al haber tocado la segunda nota en el primer grupo de «cuartos» (abierto B), la púa se desplaza ahora hacia arriba, a la 3.ª cuerda para tocar la A.

Hasta ahora solo ha estado moviendo la púa hacia abajo mientras rasgueaba la guitarra, pero para que tocar sea más fácil y rápido, tiene que aprender a rasguear en la dirección opuesta con **movimientos hacia arriba** (upstroke.) Para ver lo útiles que son estos movimientos, vamos a intentar algo muy simple, un ejercicio de una cuerda, basado en «Westminster Chimes» que suena en la Torre del Reloj, sobre las Casas del Parlamento de Londres. La pieza usa solo tres cuerdas (4.ª, 3.ª y 2.ª): vamos a empezar tocándola solo con rasgueos hacia abajo. El diagrama le muestra dónde encontrar las cuatro notas para el ejercicio y la lista de abajo le da el orden en el que debe tocar.

Estos cuatro tonos forman «Westminster Chimes». Tres de ellos (D, G y B) vienen de cuerdas abiertas (indicadas con círculos sobre la cejilla en el diagrama); la otra, A, la debe sujetar con el segundo dedo en el 2.º traste/3.ª cuerda. Toque las notas en este orden con pequeños cortes entre cada grupo de cuatro:

G	B	A	D
G	A	B	G
B	G	A	D
D	A	B	G

Por ahora, tendrá pocas dificultades en tocar las cuerdas con limpieza, pero se encontrará con que es bastante torpe al mover la púa a la posición anterior a cuando ha tocado la cuerda. Toque otra vez el ejercicio rasgueando hacia arriba y hacia abajo, tal como se indica en el gráfico que aparece a continuación:

La d y u minúsculas sobre cada nota indican un movimiento hacia abajo (downstroke) o hacia arriba (upstroke).

d	u	u	u
G	B	A	D

u	d	u	u
G	A	B	G

u	d	u	d
B	G	A	D

d	d	d	u
D	A	B	G

Los movimientos hacia abajo reducirán el movimiento de la púa y de la mano derecha al mínimo. Por ejemplo, tiene sentido tocar el primer «cuarto» en el grupo inicial de notas con un rasgueo hacia abajo, pero use después los rasgueos hacia arriba para las siguientes tres notas, pues las cuerdas necesarias son vecinas y su púa las puede tocar, una después de otra, en un solo arco hacia arriba. Cuando suene la B abierta, invierta simplemente la dirección de su púa, y la A y la D (2.º traste/3.ª cuerda y 4.ª cuerda abierta) caerán con naturalidad debajo a medida

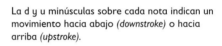

ARRIBA. Preparándose para un abierto B hacia abajo para la penúltima nota del grupo final de «cuartos».

que su mano se aleja del suelo (véanse las fotos). Al principio le resultará difícil controlar los movimientos hacia arriba; practique tratando de igualar el toque y el volumen de sus movimientos hacia abajo.

Los rasgueos hacia arriba son también muy útiles cuando se tocan acordes, pues le permite sustituir el rasgueo hacia abajo por otros efectos más interesantes. Aquí aparece una breve secuencia de un acorde en G mayor, donde cada cuerda nueva suena tres veces: la primera con un movimiento hacia abajo, después uno hacia arriba y, por último, un segundo rasgueo hacia abajo. En los movimientos hacia abajo, rasguee todas las cuerdas, pero en los rasgueos hacia arriba toque solo las tres cuerdas superiores y permita que la(s) nota(s) de debajo sigan tocando.

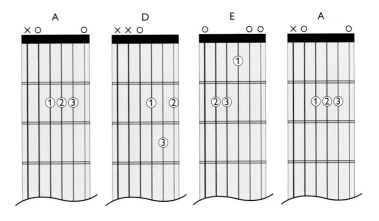

ABAJO. Observe las cuerdas con una X, como las que están en los acordes C y D. Recuerde que no debe tocarlas cuando rasguee.

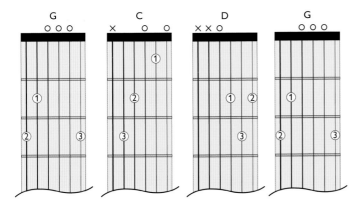

Intente la misma técnica «abajo-arriba-abajo» en estas cuerdas en D (véase abajo) y A mayor (véase arriba a la derecha) y experimente de nuevo. Pruebe a hacer lo mismo con otros patrones de cuatro, cinco y seis cuerdas.

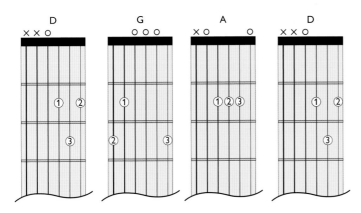

COMPROBAR LA AFINACIÓN

Después de tocar unas horas la guitarra puede que observe que las cuerdas que está tocando empiezan a sonar mal y a desentonar porque su instrumento se desafina. La seis cuerdas se han desafinado respecto de la fuente externa, o puede que solo unas cuantas cuerdas necesiten un ajuste. Si solo se necesitan unos toques, intente este método sencillo de comparar los tonos de las cuerdas vecinas:

- Asegúrese de que la 1.ª cuerda (E) está afinada usando un afinador, un piano o un sintonizador.
- Sujete la 2.ª cuerda (B) en el 5.º traste, tóquela, y entonces toque la primera cuerda abierta. Ambos tonos deberían ser exactamente iguales; si no es así, ajuste la 2.ª e iguale la 1.ª.
- Compare la 2.ª cuerda abierta y la 3.ª sujeta en el traste, recordando sujetar la 3.ª en el 4.º traste para tocar una B. Cuando acabe, recuerde modificar la menor de las dos cuerdas.
- Comprobar la 3.ª y 4.ª, 4.ª y 5.ª, y la 5.ª y la 6.ª, sujetando en el 5.º traste la cuerda más baja de cada par.
- Toque un par de cuerdas, ¿están afinadas? Si no es así, observe qué cuerda(s) desafinan hacia el bemol o el sostenido. Corríjalas y vuelva a intentarlo.

Formas cambiadas y el capodastro o cejilla

Como habrá observado, la mayoría de los acordes mostrados hasta ahora representan al menos una de las cuerdas abiertas de la guitarra. El hecho de basarse en esto limita obviamente la gama de armonías a su disposición, dejando fuera cualquier acorde que no incluya las notas E, A, D, G o B. Pero una vez que logre «escapar» de las cuerdas abiertas y empiece a usar notas sujetas en el traste para acordes, se le abrirán muchas posibilidades.

DERECHA. La forma de F elevada dos trastes para producir un acorde de G.

Vamos a detenernos un poco en las formas de cuerda no abierta que conoce ahora mismo: F, B menor y F sostenido menor. Las tres pueden deslizarse en el diapasón para crear acordes con tonos más altos. Cada posición del traste corresponde a un semitono, así que cambiando la forma F dos trastes hacia arriba (véase la fotografía y el diagrama 1), produce un acorde de cuatro cuerdas de G, y subiendo dos trastes más se transformará en una A.

¿Para qué se quiere hacer esto? Después de todo, ¡ya ha aprendido perfectamente buenas versiones de G y A! La respuesta está en los sonidos contrastantes y la distribución alternativa de las notas que ofrecen los nuevos acordes. Nuestra forma original abierta A (véanse las dos páginas anteriores) contenían A, E, A, C# y E, y una A más alta: toque una tras otra y la diferencia estará clara. Ahora trate de desplazar la forma F# menor con barré (cejilla) tres trastes hacia el mástil (véase fotografía y diagrama 2). En esta posición, se convierte en A menor. De nuevo compárela con la forma «antigua» de A menor de varias páginas atrás para apreciar las cualidades especiales de cada acorde. Para una demostración aún más chocante del mismo efecto, toque las formas del diagrama 3 y su fotografía relacionada (una E menor de seis cuerdas «normal» seguida de una versión de cuatro cuerdas producida cuando mueve la forma B menor cinco trastes hacia arriba).

El capodastro (cejilla), un amigo flexible

Más adelante veremos cómo se pueden «cambiar» otros acordes usando técnicas con los dedos de la mano izquierda. Pero si usted es aplicado y quiere explorar la parte alta del mástil con las formas en las que ya está familiarizado, pruebe con un **capodastro** o cejilla (véase fotografía de la página opuesta). Esta abrazadera mecánica (hay varios tipos disponibles y cuestan pocos euros) actúa como una especie de cejilla sustituta, sujetando las seis cuerdas a la vez, lo cual facilita tocar tonalidades y posiciones del mástil muy remotas mientras se siguen usando digitaciones sencillas. Si se ajusta al primer traste, convierte las cuerdas abiertas de E, A, D, G, B y E a F, B bemol, E bemol, A bemol, C y F; y convierte una forma normal C a C sostenido, una D a E bemol y así sucesivamente. Cada vez que usted mueve el capodastro un traste hacia arriba, los tonos de la cuerda (y sus acordes) suben otro semitono.

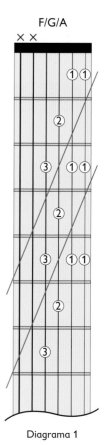

F/G/A

× ×

Diagrama 1

ARRIBA. Nuestro toque F# menor nos da un acorde A menor cuando la cejilla se mueve a la posición del 5.º traste.

DERECHA. Hay mucho que recorrer hasta este acorde E menor, creado mediante el movimiento de la forma B tipo-menor a los trastes 7.º, 8.º y 9.º.

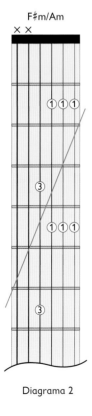

F#m/Am

Diagrama 2

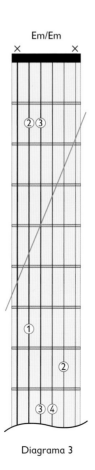

Em/Em

Diagrama 3

ARRIBA. Con el capodastro situado en el 1.er traste, un acorde E menor normal se convierte en un F menor.

Acordes en clave menor

Ha practicado rasgueando y cambiando acordes en las tonalidades principales de C, G, D y A entre cuyas armonías básicas se encuentran los acordes «relativos menores»: A menor para C, E menor para G, B menor para D y F sostenido menor para A. Las notas raíz para estas menores (A, E, B y F sostenida) son el punto de inicio para las claves y escalas menores que llevan sus nombres. Vamos a aprender algo más sobre los principales acordes relacionados con cada uno de ellos.

Empezaremos con los «tres acordes más uno» para una **A menor**. Así como la A menor misma, con la que ya está familiarizado, estas incluyen la E mayor (puede parecer sorprendente que claves menores usen acordes mayores de forma tan destacada; luego veremos el porqué) y D menor (véase el diagrama), una nueva forma parecida al acorde D mayor que se ha encontrando anteriormente, pero con una F en vez de la F sostenida en la 1.ª cuerda. El otro acorde principal en la tonalidad es la C mayor, la **mayor relativa** de la A menor (véase «Términos usuales»).

El acorde raíz de **E menor**, y su mayor relativa, G, ya son viejos conocidos. La tonalidad también representa A menor, y también B mayor. El modo más simple de tocar B es modificar los toques que hemos aplicado antes a A mayor. Empiece situando el segundo, tercer y cuarto dedos en (respectivamente) la 4.ª, 3.ª y 2.ª cuerdas en el 2.º traste. Deslice ahora los tres dedos hasta el 4.º traste antes de llegar «tras» ellos con su índice, que sujeta la raíz B en la 5.ª cuerda/2.º traste (véase fotografía). Al igual que las formas experimentadas en las dos últimas páginas, este acorde de cuatro cuerdas (la primera y la sexta cuerdas no se suenan) puede cambiarse por el mástil para crear otras armonías.

Solo hay un nuevo acorde (F sostenido mayor; un sencillo toque «F mayor» de cuatro cuerdas deslizándose un traste arriba) necesario para nuestra siguiente clave, **B menor**. Como verá por los diagramas de más abajo, la forma A/B «cambiable» que acaba de aprender es necesaria de nuevo para C sostenido mayor, uno de los acordes principales de F sostenido menor. Aquí, su dedo índice se desplaza al 4.º traste sobre la 5.ª cuerda, mientras los otros tres dedos forman una línea, dos trastes más arriba, en la 4.ª, 3.ª y 2.ª cuerdas.

Intente rasguear la guitarra y cambiar entre los acordes de estas cuatro claves. Como las claves mayores, sus primas cercanas, pronto le empezarán a recordar canciones y melodías conocidas, y le volverán más entusiasta que nunca para aplicar sus habilidades básicas de tocar la guitarra en algunas tareas musicales «reales». Empezaremos a hacer esto en el próximo capítulo, así que tenga paciencia y siga practicando.

ARRIBA. Un acorde D mayor y (debajo de él) la modificación en los dedos necesaria para cambiarla a D menor.

Acordes para A menor

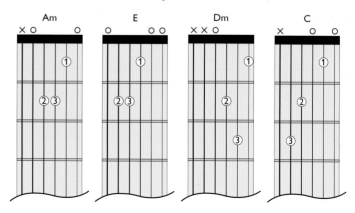

Acordes para E menor

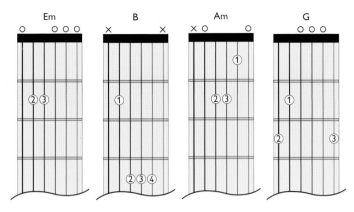

Acordes para B menor

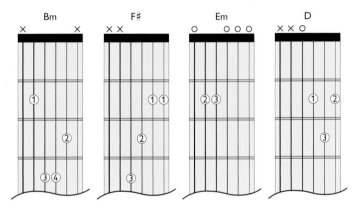

ARRIBA. Esta forma de B mayor puede ser complicada para los instrumentistas con la mano más pequeña.

Acordes para F# menor

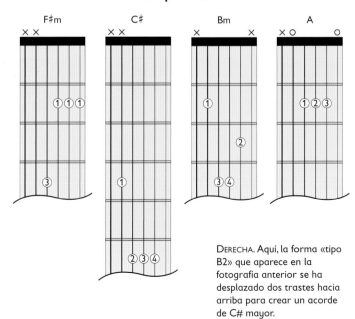

DERECHA. Aquí, la forma «tipo B2» que aparece en la fotografía anterior se ha desplazado dos trastes hacia arriba para crear un acorde de C# mayor.

Lo que ha aprendido

La más alta de las seis cuerdas de la guitarra (la 1.ª) está afinada con la E una 3.ª mayor por encima de la «C media» del piano; las otras cinco cuerdas de tono más bajas están afinadas (por orden decreciente) con la B, G, D, A y E. La 6.ª cuerda E está dos octavas debajo de la E en la primera cuerda.

Cada uno de los trastes de la guitarra corresponde a un intervalo de semitono, que también es la diferencia de tono entre dos teclas contiguas del piano. Una nota de una cuerda sin sujetar en el traste o al aire («abierta») se eleva un semitono si la cuerda se sujeta en el mástil detrás del 1.er traste; si se sujeta detrás del 2.º traste, aumenta su tono otro semitono y así sucesivamente.

Las notas creadas por grupos de cuerdas sin sujetar y/o cuerdas sujetas en el traste forman acordes. Cuando las cuerdas que producen los acordes no son contiguas, pueden tocarse con una púa, usando movimientos hacia arriba o hacia abajo.

Los grupos de acordes relacionados se agrupan en claves mayores y menores, y cada clave se denomina según su acorde de «raíz». Ha aprendido las armonías básicas (el «truco de los tres acordes más uno») para G, C, D y A mayores, y A, E, B y F# menores.

El barré es una técnica que le permite sujetar por el traste dos o más cuerdas simultáneamente con un solo dedo. Es un elemento vital para las formas «cambiables» que pueden formar acordes en las partes altas del mástil.

Teoría y práctica

Como guitarrista en ciernes, necesita desarrollar sus conocimientos sobre el funcionamiento de la música y eso supone aprender un poco sobre cómo actúan los acordes y escalas, el modo en que se combinan los ritmos para formar barras de compás y otros temas que no parecen tener relación con la expansión de sus habilidades instrumentales... si bien le enseñarán a guardar los tiempos y a elegir las notas correctas y las armonías cuando toque. Este capítulo comienza proporcionando una guía básica sobre la teoría musical y le introduce en dos sistemas diferentes de notación escrita, además de explicarle cómo los puntos, las líneas y los números que se usan se corresponden con la posición de sus dedos y los golpes de púa.

Además de este material complejo, hay un desafío físico más directo: su primer encuentro con una nueva y exigente técnica de la mano izquierda, el gran barré.

Nociones musicales básicas: el ritmo (1)

La música consiste en tres aspectos fundamentales: melodía (melodías formadas a partir de sucesiones de notas individuales), armonía (los acordes que «apoyan» la melodía) y el ritmo (el «pulso» subyacente de una pieza musical, y la duración, colocación y acentuación de sus notas.) Como guitarrista, tratará con todos estos elementos cada vez que toque, por lo que vamos a comenzar este capítulo observando cómo funcionan, además de las diversas formas en las que pueden ser descritos y escritos.

Empecemos con el ritmo, que es el factor crucial en la mayoría de la música popular y que consigue que la gente de golpecitos con el pie y (con el humor y las circunstancias adecuadas) se ponga a bailar. Gran parte de su poder viene de la repetición: tenemos tendencia a dar golpecitos o palmas acompañando una canción (y a describir la canción como «pegadiza» o «contagiosa») si tiene una cadencia regular y predecible. A su vez, obtenemos placer con los modelos repetitivos de impulsos «fuertes» y «débiles» Tales patrones son importantes en la música de baile y otros estilos diseñados para acompañar o inspirar el movimiento físico, pero están presentes en casi todas las canciones del pop y el rock (y en una mayoría de las piezas clásicas y de jazz).

En su mayoría, los ritmos se basan en grupos de tres, cuatro o cinco tiempos, y el acento principal suele recaer en el primer tiempo de cada ciclo. Los números de blues, por ejemplo, usan ritmos de cuatro tiempos, mientras que los pulsos «fuertes» aparecen cada dos o cuatro tiempos (**1**-2, **1**-2 o **1**-2-3-4, **1**-2-3-4) y los valses tienen un aire de tres tiempos (**1**-2-3.) Los músicos denominan **compases** estos grupos de pulsos y usan un código de dos cifras que llaman **marca de tiempo** para describir los pulsos que tienen.

El ejemplo de más abajo muestra tres compases, cada uno con un diferente compás, cuyo numerador (cifra de arriba) indica normalmente el número de pulsos por compás: nuestro primer compás tiene cuatro pulsos, el segundo contiene tres y el tercero, dos.

La cifra inferior, o denominador, en los compases especifica el **tipo de nota** que representa cada pulso.

ARRIBA. Nuestros tres compases divisorios están en un **pentagrama** de cinco líneas que contiene un símbolo de **clave**. Más adelante, observaremos las funciones precisas del pentagrama y la tonalidad, pero por ahora nos vamos a detener en las notas **negras** (que aparecen en la línea central del pentagrama), las **líneas divisorias** (barras verticales que separan los grupos de notas que forman los compases individuales) y las **marcas de tiempo** (pares de cifras al comienzo de cada compás). Todo esto se explica a continuación.

Se llega a estos números al asignar valores proporcionales a las longitudes relativas de las diferentes notas. Las **negras**, notas como óvalos oscurecidos que se usan en los pulsos individuales en nuestro ejemplo, reciben un valor de un cuarto. Por tanto, un pulso de una negra se indica con una cifra /4 en la parte inferior del compás, y cuatro pulsos de negras forman un compás individual de un tiempo 4/4. En el 3/4, un compás está formado por tres pulsos de negras, y un compás de 2/4 contiene solo 2 negras.

También necesitamos nombres y símbolos para notas más largas y cortas. La imagen de abajo muestra algunos ejemplos y explica cómo se relacionan con la negra.

Cuando la música tiene pulsos de **blancas**, estas aparecen en los compases con una cifra de /2: por ejemplo, un compás de 2/2 tendría dos blancas, y los compases formados por **corcheas** (encontraremos algunas después) tienen compases de /8.

IZQUIERDA. Las notas aparecen aquí de dos formas diferentes. Las del primer compás tienen la cabeza redonda que, como veremos más adelante, se usan para indicar los tonos de las melodías y los acordes. Las cabezas de nota inclinadas del segundo compás aparecen normalmente junto con símbolos de acordes (G, Em, D, etc.) y señalan los ritmos en que deben tocarse, pero no muestran tonos de nota específicos.

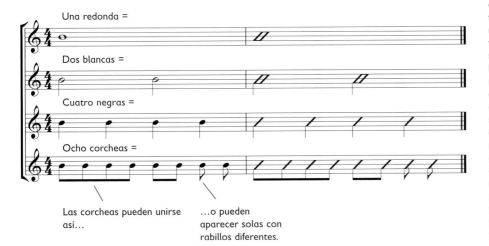

Una redonda =

Dos blancas =

Cuatro negras =

Ocho corcheas =

Las corcheas pueden unirse así…

…o pueden aparecer solas con rabillos diferentes.

IZQUIERDA. Acordes sencillos y corcheas fuertes, ¡una receta perfecta para un ritmo transgresor de guitarra eléctrica!

Nociones musicales básicas: el ritmo (2)

A continuación aparecen dos ejercicios sencillos de rasgueo usando diferentes marcas de tiempo y varios intervalos musicales. Todos los tipos de acordes que representan son bastante conocidos para que le sea más fácil concentrarse en sacar bien los ritmos. Para ayudarlo a seguir la notación, hemos impreso números (1-2-3-4 o 1-2-3) debajo de los pentagramas con el fin de marcar la posición de los pulsos en cada compás.

Mientras toca, puede que desee golpear con el tacón o gritar los pulsos para ayudarse a mantener el ritmo, además de que si está animado, puede extender los ejercicios repitiéndolos sin parar, lo que usted (y su familia y vecinos) aguante.

Algunos trucos y puntos a recordar:

- Practique los ejercicios tan lentamente como quiera (sobre todo al principio), pero mantenga siempre un ritmo constante y no permita que lo molesten los cambios de acorde. La capacidad de tocar de manera uniforme, sin ir por detrás del ritmo ni tirando delante de él, es una habilidad musical esencial y aquella en la que los instrumentistas tienen que trabajar más para desarrollarla. Si lo encuentra una lucha, intente usar un metrónomo o una caja de ritmos para que le marque el paso.
- Cuando se encuentre con un par de corcheas, toque la primera de ellas con un rasgueo hacia abajo y la segunda con un rasgueo hacia arriba. Probablemente sea más fácil usar rasgueos hacia abajo para todos los demás acordes que vienen después.
- Cuando toque de la notación, verá a veces notas con puntos detrás, como la blanca en el último compás de nuestro segundo ejercicio. Un puntillo situado de esta manera expande la nota a la que se refiere la mitad de su longi-

tud «normal»: por lo tanto, una blanca (normalmente de la longitud de dos pulsos de negra) dura tres pulsos de

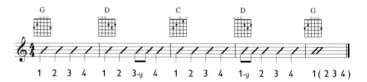

ARRIBA. Nuestro primer ejercicio usa acordes en la clave de G mayor. Los diagramas sobre el pentagrama le recordarán cómo pulsar las cuerdas. Sus marcas de tiempo le dicen que sus compases tienen cuatro pulsos de negras, así que cuando practique el primero y el tercer compases, puede guiarse contando «1-2-3-4» y rasguear hacia abajo un acorde en cada pulso. Cuente «1 y» (o «3 y») cuando toque las corcheas (que son la mitad de largas que las negras) en los compases 2 y 4. Al llegar a la redonda final, toque un rasgueo sencillo hacia abajo y deje la cuerda sonar cuatro pulsos completos.

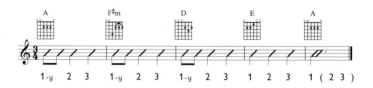

negra cuando lleva puntillo, mientras que una negra con puntillo dura 1 1/2 más que los pulsos de negra (1 negra + 1 corchea).

Nuestra tercera pieza de rasgueo rítmico (a la derecha), está diseñada específicamente para guitarras eléctricas, pero sonará casi igual de bien en un instrumento acústico. Sus longitudes de nota más largas intentan mostrar el apoyo extra que da la eléctrica y también incluye un acorde nuevo al inicio

ARRIBA. Aquí aparece un ejercicio en A mayor y ¾. Practíquelo igual que el anterior, pero esta vez cuente «1-2-3».

de su cuarto compás, donde la forma A usada en las dos negras anteriores (con el dedo índice en el 5.º traste) se mueve dos trastes más para producir una B mayor de cuatro cuerdas (véanse las fotos). Para crear un efecto más intenso, toque el último acorde del compás 3 un poco más fuerte de lo habitual y entonces deslice la forma del acorde de A a B sin levantar los dedos de la mano izquierda de las cuerdas. Esto mantendrá la energía de su último rasgueo hacia abajo y le permitirá que el nuevo acorde B al principio del compás 4 ¡suene sin haberlo tocado!

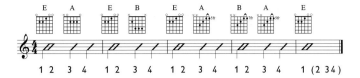

ARRIBA. Nuestro ejercicio final es en E mayor y contiene blancas (cada una vale dos negras) en cuatro de sus cinco compases. Véanse las fotografías de más abajo para comprender cómo son las posturas de la mano izquierda en los compases 3 y 4.

ABAJO. Entre el final del compás 3 y el inicio del compás 4, la forma se desliza dos trastes hacia arriba...

ARRIBA. Un acorde (con un pequeño barré en el 5.º traste) al final del compás 3 del ejercicio final.

DERECHA. ... llegando al acorde B (barré del séptimo traste) en el primer pulso del compás 4.

Nociones musicales básicas: los tonos y el pentagrama

Hemos visto cómo se usa la notación musical para cifrar ritmos en un papel, pero veamos ahora el modo de tratar los tonos y las melodías.

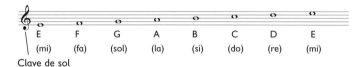

E (mi) F (fa) G (sol) A (la) B (si) C (do) D (re) E (mi)

Clave de sol

IZQUIERDA. La clave de sol determina la situación de todos estos tonos de notas.

Cada una de las líneas y espacios del pentagrama (véase arriba) representa un tono de nota individual. La posición de los tonos viene configurada por un símbolo llamado **clave**; la música de guitarra usa una **clave de sol** o **clave G** que se riza alrededor de la cuarta línea del pentagrama, indicando que representa G. Normalmente esta sería la G con una frecuencia de 392 Hz, siete semitonos por encima de la C media. Sin embargo, para hacer que las notas más usadas en el centro de la gama de la guitarra sean más fáciles de leer, su música se escribe siempre «una octava más alta» de lo que suena realmente, por lo que la línea «G» con la clave enrollada sobre ella quiere decir la frecuencia de la 3.ª cuerda de la guitarra, que se afina en G a 196 Hz (solo es importante recordar esto cuando se está tocando o afinando con otros instrumentos).

En la parte superior de la siguiente columna hay otro pentagrama que muestra los tonos de las seis cuerdas abiertas de la guitarra, con un diagrama que relaciona las notas a sus posiciones en el teclado del piano.

Como puede ver, las dos cuerdas más bajas (E y A) no cuadran en el pentagrama. Para mostrar sus tonos y los de aquellas notas demasiado bajas o altas para ser acomodadas en sus cinco líneas «normales», usamos **líneas suplementarias,** es decir, extensiones adicionales que funcionan exac-

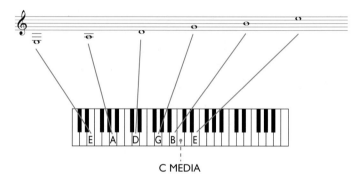

E A D G B E

C MEDIA

tamente de la misma manera que el pentagrama permanente.

Hay otro pequeño problema con nuestro pentagrama: sus líneas y espacios solo tienen sitio para las llamadas notas **naturales** (las teclas «blancas» del piano). Para escribir un tono como F sostenida (necesaria para acordes como D mayor) tenemos que tomar una F y ponerle un prefijo con un símbolo # (sostenido) para indicar que su tono debiera

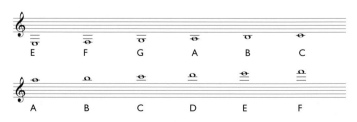

E F G A B C

A B C D E F

ARRIBA. Notas con líneas suplementarias, un mal necesario cuando se escriben y leen notaciones musicales.

«subirse» un semitono. Para «bajar» una nota natural eso mismo usamos un símbolo de **bemol** (♭). Cualquier nota **accidental** (como se las llama) permanece forzosamente como una barra única antes de ser «cancelada» automáticamente: si una nota tiene que volver a su tono normal, sin sostenido o sin bemol, en el compás esto se hace con un símbolo **becuadro** (♮) (véase el diagrama de la derecha).

Facilitar la curva de aprendizaje

Intente no intimidarse demasiado por todos estos conocimientos técnicos. Lleva tiempo acostumbrarse a una notación, pero el hecho de perseverar trae grandes recompensas, como la de estimular su habilidad de dominar nuevas canciones y melodías y, por último, acelerar su desarrollo como instrumentista. Y como estamos a punto de ver, la notación se lee mucho más fácilmente si se combina con una **tablatura**, otra forma más simple de música escrita, la cual se explica en las siguientes páginas.

ABAJO. Seguir la notación, es decir, dividir la atención entre la música impresa y la guitarra en sí, puede llevar tiempo hasta acostumbrarse.

F sostenida   F becuadro   B bemol   B becuadro

Nociones musicales básicas: tablatura, notación y melodías

A diferencia de la notación, la tablatura está expresamente diseñada para los guitarristas y, en vez de identificar notas y acordes particulares, le muestra dónde encontrarlos en el diapasón. La tablatura está escrita en seis líneas horizontales, y cada una de ellas representa una de las cuerdas del instrumento. Sobre estas líneas hay números que dan las posiciones del traste para la mano izquierda que son necesarias para tocar las notas y acordes de una canción o pieza. El 0 indica que una cuerda no se sujeta con traste (abierta) y, si no hay número en una línea, entonces la cuerda correspondiente no se suena.

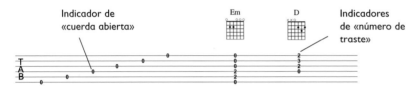

Esta sección de la tablatura le dice que toque las seis cuerdas de la guitarra abiertas, una a una, desde el fondo E (6.ª) hasta la parte superior E (1.ª).

Dos acordes familiares en forma de «tab»: E menor, con la 4.ª y 5.ª cuerdas sujetas en el 2.º traste (como muestran los números); y D mayor, con dos cuerdas en silencio abajo, una 4.ª abierta, y las tres cuerdas de arriba sujetas en el 2.º, 3.º y 2.º trastes, respectivamente.

La sencillez relativa de la tablatura hace que sea muy popular entre los principiantes, quienes puede que se asusten ante la aparente complejidad de la notación. Pero tiene ciertas desventajas: no muestra los ritmos claramente, cuesta leerla rápido y lleva mucho tiempo escribirla sin *software* especial de ordenador. El hecho de que esté tan personalizada a las necesidades de los guitarristas hace muy difícil que la puedan descifrar otros músicos. Pero como muestran las digitaciones reales, la tablatura es una gran herramienta de aprendizaje, por lo que en este libro la usaremos de ahora en adelante junto a la notación estándar en todos nuestros ejemplos musicales.

Para ayudarlo a que se acostumbre a ver melodías escritas en la notación y la tablatura, tratemos de tocar una melodía sencilla:

el villancico *While shepherds watched their flocks by night* (esto no es exactamente rock and roll... pero, como usted bien sabe, encontrará fácilmente cualquier error que pueda cometer mientras intente leer la página). Empezaremos con una versión en «registro más bajo» en la 5.ª, 4.ª y 3.ª cuerdas. Siga los números de la tablatura para encontrar las notas: las del 2.º traste (en cualquier cuerda en que estén) deben sujetarse con su segundo dedo, las del 3.er traste con su tercer dedo y así sucesivamente. (Esto puede ocasionar leves cortes cuando tenga que sujetar por el traste notas sucesivas en cuerdas vecinas, como la C y la F al final del compás 1/principio del compás 2, pero no se preocupe por esto ahora.) No hay notas en el primer traste, de modo que el dedo índice puede tener un breve respiro, y el dedo meñique solo lo necesitará una vez, para la F# (indicada por la accidental) en el 4.º traste/4.ª cuerda al final del tercer compás (véase diagrama de la derecha).

Vamos a acabar tocando la misma melodía, una octava más alta, en las dos cuerdas más altas de la guitarra. Use el mismo método anterior de tocar con la mano izquierda de «un dedo por traste» (¡esta vez necesitará su dedo índice!) y todas las notas caerán fácilmente bajo sus dedos, excepto quizá la línea suplementaria A al principio del compás 5; observe las fotos y las notas de ayuda sobre cómo llegar a esto. A medida que practique la melodía en sus dos registros, siga la subida y bajada de las notas, y observe cómo se corresponden con la posición y el movimiento de sus manos en el instrumento.

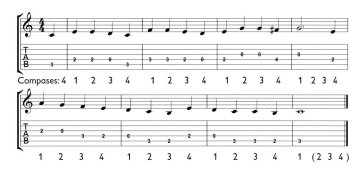

ARRIBA. Todos los ejercicios que hemos representado antes comenzaban con el primer pulso de un compás (a menudo llamado «compás acentuado»). Sin embargo, la melodía *While the shepherds watched* comienza con un pulso 4.º menos fuerte (un «compás débil»), por tanto, la única negra antes de la primera línea de barra.

ABAJO. Gracias a la E abierta al final del compás 4, el dedo meñique tiene tiempo de estirarse hasta el 5.º traste/5.ª cuerda A al principio del compás 5.

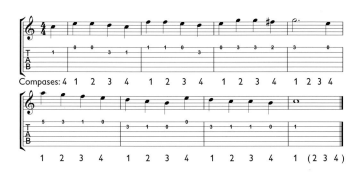

ARRIBA. La siguiente nota en el compás 5, G, se sujeta con el segundo dedo…

DERECHA. … y la siguiente F, con el índice.

Nociones musicales básicas: firmas de acordes y claves

Una forma bastante sencilla de describir un acorde es llamarlo «una pila de notas»; cuando vea por primera vez escritas en el pentagrama algunas armonías que ha aprendido recientemente, quedará sorprendido de lo imponentes que parecen. Aquí aparecen tres ejemplos antiestéticos: una columna de semibreves que corresponden a nuestra forma «normal» de G mayor de seis cuerdas; y un par de acordes de cuatro cuerdas, B mayor y F# mayor, ambos llevando lo esencial y grupos feos de alteraciones.

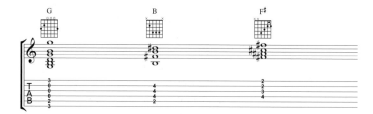

duras. Estas sirven como instrucciones para el instrumentista a fin de agudizar o aplanar todas las notas indicadas en la pieza.

Debajo hay una secuencia de un acorde corto en D mayor, mostrado primero sin

El acorde G anotado es más difícil de leer y menos reconocible instantáneamente que el diagrama que aparece sobre él. No se preocupe demasiado: comparativamente poca música impresa de guitarra incluye acordes en bloque de este tipo totalmente escritos. Las formas de cuerdas múltiples usadas para el ritmo y el acompañamiento se suelen significar mediante marcas, símbolos y letras de rasgueos (véase anteriormente), mientras que la notación y la tablatura se reservan sobre todo para los solos y *licks*, que suelen contener menos armonías «grandes».

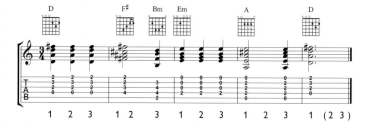

Afortunadamente, también hay una forma muy conveniente de reducir el número de alteraciones necesario cuando se escriben acordes como los de arriba. Las tonalidades individuales usan siempre sostenidos y bemoles particulares (G mayor siempre necesita una F#, D mayor tiene una F# y una C#, y así sucesivamente) y sus alteraciones recurrentes pueden recopilarse juntas y situarse al principio de cada pentagrama como **arma-**

IZQUIERDA. El cambio de cuerda en el compás 2 aquí es efectivo musicalmente, pero difícil para el dedo. Para evitar chirridos y otros ruidos indeseables, amortigüe las cuerdas con la mano derecha justo antes de cambiar de F# a B menor (arriba en la página siguiente).

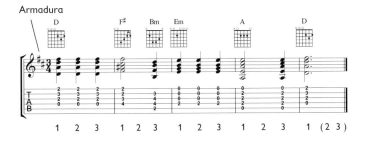

Armadura

D   F#   Bm   Em   A   D

1 2 3   1 2 3   1 2 3   1 2 3   1 (2 3)

la armadura (pero con los inevitables accidentes) y después con armadura, en la parte superior de la página siguiente.

La segunda versión es indudablemente más fácil para leer. Y la presencia de la armadura también le da una pista para saber en qué clave está la pieza, una vez que pueda reconocer las diferentes combinaciones de sostenidos y graves relacionados con todas las diferentes mayores y menores. Más adelante, estudiaremos las claves y sus armaduras con más detalle.

Llevando los acordes un paso más allá

Mientras, concentrémonos en los acordes y en la manera en que ciertas notas seleccionadas de ellos pueden usarse para crear *licks* y figuras, e incluso formar la base de partes de guitarra enteras. Aquí hay un ejemplo fácil, pero bastante eficaz, de una figura de acorde basada en grupos de notas de E menor, G y A. También aparecen notas bajas, suministradas por su 5.ª cuerda abierta, que provee algunos ímpetus rítmicos, mientras el acorde A se deja sonar algún tiempo. Cuando haya dominado el ejercicio, estará listo para los *licks* más avanzados en las dos páginas siguientes.

IZQUIERDA. La transición del acorde de B menor a E menor en el compás 3 es mucho más fácil.

ABAJO. Este ejercicio incluye dos nuevas armonías: Em7 (las corcheas que usan este acorde en el compás 3 deben ser tocados con un rasgueo hacia abajo seguido de uno hacia arriba) y la forma sin nombre en el compás 7. Los analizaremos más adelante; por ahora ¡disfrute del efecto que crea!

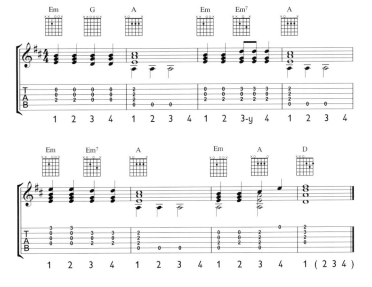

«Licks» y figuras (1)

La combinación afortunada e inspirada de sonido, sentimiento y contexto que hace tan especiales a algunos «licks» y motivos de guitarra del rock y el pop es imposible de definir o cuantificar, pero muchos de los fundamentos sobre los que se crean estas frases y figuras son musical y técnicamente muy sencillos.

En algunos casos, se basan en ajustes elementales, pero satisfactorios, de acordes normales. Tome una D estándar y añádale una G sujetando con el traste la primera cuerda mediante su dedo meñique (véase el diagrama); luego suéltelo (dejando abierta la primera cuerda) y toque otra vez. Habrá oído las dos armonías (conocidas técnicamente como **acordes suspendidos**) generadas por estas simples modificaciones en innumerables grabaciones de pop y rock, normalmente en *licks* como el que se muestra aquí.

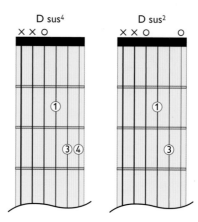

IZQUIERDA. Colocación de los dedos y nombres de las dos armonías «suspendidas» descritas en la página siguiente y usadas en los dos primeros ejercicios.

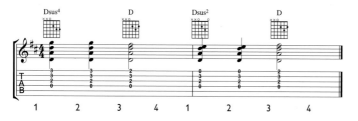

Ritmos sincopados

Tocado como está escrito arriba, el *lick* puede sonar un poco serio y cuadrado, pero le puede dar un poco de salsilla usando lo que los músicos llaman el **sincopado**. Esto consiste en desplazar algunas cuerdas, de modo que no siempre caigan al principio de cada pulso. Intente el segundo ejemplo, contando cuidadosamente según lo hace. Puesto que los dos acordes finales están **unidos** (véase la notación) en su segunda barra debe tomar solo la primera nota (corchea) del par, y dejar después que las cuerdas suenen durante la duración de la blanca «unida» (véase el diagrama de la derecha).

El siguiente ejercicio también es un viejo favorito, especialmente de los intérpretes de

blues. Está en clave de E mayor, cuya armadura eleva automáticamente todas las F, C, G y D de la pieza, a menos que se diga lo contrario. Durante toda su longitud (hasta el final), la 5.ª y 6.ª cuerdas dan un pulso estable de cuatro tiempos. Sobre esto hay un principio *riff* con una corchea («nota equivocada»), A#, que rápidamente se desplaza arriba un semitono a B (otra corchea, unida a una blanca punteada: como antes, tome solo la primera nota y deje después sonar la B hasta el final del compás). La segunda barra contiene una figura «andante» de cuatro notas; observe las fotografías y llamadas para ver cómo colocar los dedos, y escuche la D con la cuerda abierta natural en su tercer pulso.

Después de terminar la segunda barra, vuelva y toque las dos barras del comienzo,

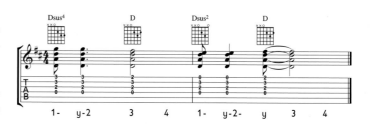

tal como indican los símbolos de repetición en el pentagrama (véase la notación más abajo). Entonces desplácese a los compases tres y cuatro, donde la acción musical cambia a la 5.ª y 4.ª cuerdas. Aquí, la primera nota y las notas unidas son, respectivamente, D# y E, y las notas «andantes» son E, F# y G becuadro: de nuevo, ¡tenga cuidado con la accidental! La pieza vuelve a su motivo original A#/B en la penúltima barra, antes de descansar en la E y B bajas.

ABAJO. Los compases dobles punteados que rodean los dos primeros compases de este ejercicio son **marcas de repetición;** debe tocar todo dos veces entre ellos.

ARRIBA. Estamos ahora en el compás 3 (después de las marcas de repetición). Aquí, el dedo índice sujeta por el traste la corchea D# al principio del compás, mientras que el segundo dedo está casi sobre la siguiente nota E.

IZQUIERDA. Posiciones de los dedos para el *riff* andante en el compás 2. Según el índice sujeta la B en el 2.º traste/5.ª cuerda, el tercer y cuarto dedos están ya en posición sobre C# y D.

DERECHA. «Andando» sobre la 4.ª cuerda para tocar E (2.º traste), F# (4.º traste) y G (5.º traste). El segundo dedo se mantiene fuera.

«Licks» y figuras (2)

La figura que ya domina podría ser la base de una pieza efectiva si usted la tocase completamente por sí mismo, o acompañando a un cantante. Pero con sus notas repetidas constantemente, tiene un sentimiento realmente recargado y puede dar la sensación de una textura demasiado densa si se usa en el contexto de un conjunto, por ejemplo, al lado de un bajista y un batería.

Cuando se trabaja con otros instrumentos, es importante no interponerse en su camino y no duplicar los papeles. Así que si tiene batería, o incluso una caja de ritmos a su disposición, usted debiera depender de ellos para sacar el ritmo básico de una canción y permitir que su bajista dé el tope bajo que lleva el ritmo. Entonces usted estará libre para dar el interés melódico, embellecer y (cuando corresponda) elevarse sobre ese apoyo con sus *licks*, figuras y acordes.

Para hacer esto de forma eficaz, usted necesita el poder y el soporte de un «hacha» eléctrica, y los ejercicios de estas páginas sonarán mejor si se tocan en una de ellas, aunque también merece la pena probarlos en una acústica. Quienes tengan eléctricas deberán seleccionar la pastilla trasera (puente) cuando practiquen los ejercicios, y también puede que se beneficien de un toque de *overdrive* y distorsión, siempre que su amplificador puede hacerlo y ¡los vecinos no se quejen!

El primer *lick* que vamos a probar es sencillo, pero es increíble: su impacto viene de su sincopado insistente, el intervalo de sonido desnudo (conocido por los músicos como una **4.ª perfecta**) entre sus pares de notas, y el uso del estridente registro superior de la guitarra. También incorpora **restos**, silencios situados estratégicamente cuya duración corresponde a longitudes de notas específicas. Véase el panel de la página siguiente para una explicación detallada de los restos. Las primeras dos frases del *lick* se tocan dos veces; toque las notas penúltimas en la primera, tercera, quinta y sexta barras

DERECHA. Deslice su dedo índice del 2.º traste al 5.º, 7.º y 9.º para crear estos acordes de tres notas para el ejercicio de la siguiente página. Las «posiciones» están definidas por la situación del dedo índice en el diapasón: cuando está en el 2.º traste, su mano está en la «2.ª posición»; en el 5.º traste, está en la «5.ª posición», y así sucesivamente.

con rasgueos hacia arriba y el resto con rasgueos hacia abajo. Como verá por la foto contigua, toda la sujeción de los trastes se hace con el dedo índice, con un pequeño barré en la 1.ª y 2.ª cuerdas.

Nuestro segundo ejercicio se basa en la forma «estándar» A (véase el diagrama de

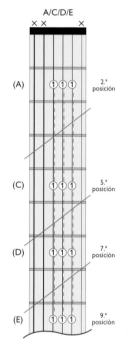

IZQUIERDA. El dedo índice en el 7.º traste, formando las notas para el principio del compás 3 en el primer ejercicio.

la derecha), aunque aquí recolocamos los dedos con otro pequeño barré y sonamos solo la 2.ª, 3.ª y 4.ª cuerdas. Al deslizar esta forma del 2.º traste a la 5.ª, 7.ª y 9.ª posiciones podemos producir acordes de A, C, D y E.

Para la máxima efectividad, mantenga el dedo índice apretando el mástil mientras lo mueve entre los trastes, y cambie de uno a otro solo una fracción de un pulso antes del siguiente acorde. Después de moverse por las cuatro armonías, las combinamos con una secuencia de figuras de dos notas (D-C#, F becuadro-E, G becuadro-F#, A-G#), tocados como *pull-offs* (ligados) con el segundo dedo. Vea las fotos y sus leyendas para aprender cómo hacerlo, y practique durante el tiempo necesario.

Los «ligados» o *pull-offs* (véanse las leyendas de las fotografías) están marcados aquí con líneas curvas llamadas *slurs* (ligaduras). No tome la segunda nota de cada par ligado, que se suena mediante la mano izquierda.

ABAJO. Digitación para el inicio del compás 3 del ejercicio 2. Mientras el índice mantiene un barré, el segundo dedo sujeta D en el 3.ᵉʳ traste/2.ª cuerda, lo que da como resultado un acorde suspendido.

ABAJO A LA DERECHA. Para hacer un *pull-off* (ligado) el segundo dedo suelta su D con un leve «giro». Este movimiento hace vibrar la cuerda, que ahora suena la nota que ya está sujeta mediante el dedo índice (en este caso, C#) sin necesidad de un golpe de púa. La misma técnica se usa para los demás *pull-offs* de este ejercicio.

ARRIBA. La segunda posición barré necesaria para el acorde A en el segundo ejercicio.

RESTOS

La música sin momentos ocasionales de silencio sería aburrida y monótona, y mediante la inserción de restos en la notación podemos indicar exactamente cuánto tiempo queremos que duren estos cortes de sonido, y mostrar cómo encajan en el esquema rítmico de una pieza o canción. Como puede ver por el gráfico de abajo, cada nota tiene su correspondiente símbolo de resto. Los restos pueden ir punteados para extender su duración la mitad de su longitud «normal». Y suelen recibir el mismo espacio de tiempo en el pentagrama que sus notas equivalentes, para hacerlos más fáciles de leer y

comprender. Hay una pequeña anomalía en la manera de usar el descanso de la redonda (aparece en la primera barra del ejemplo). No obstante, aunque representa cuatro pulsos, se despliega ampliamente en 2/4 y 3/4 para indicar una barra completa de silencio, a pesar de que los compases en estas armaduras son más breves que su duración especificada.

Descanso de redonda · Descanso de blanca · Descanso de negra · Descanso de corchea

El grán barré o técnica de la cejilla

El trabajo que ha recibido el dedo índice en los dos últimos ejercicios lo mantendrá en forma mientras afrontamos el gran barré, una importante habilidad con la mano izquierda cuyo dominio requiere un cierto grado de fuerza y perseverancia. Usted ya ha apreciado la importancia del pequeño barré (sujetar al traste simultáneamente dos o tres cuerdas con un solo dedo) para darle acceso a las partes altas del mástil. El gran barré es, literalmente, una extensión de esta técnica; y supone la sujeción con un solo de dedo de cuatro o más cuerdas, además de combinarse con otras formas de la mano izquierda para generar acordes de cinco o seis cuerdas en una variedad de posiciones de claves y mástil.

ABAJO. Un gran barré en la posición del tercer traste.

Empecemos marcando un barré en el tercer traste, donde las cuerdas son algo más fáciles de sujetar que junto a la cejilla. Extienda el dedo índice de la mano izquierda por las seis cuerdas, abrace la parte posterior, detrás de la cejilla, con el pulgar (véanse las fotografías) y presione firme y constantemente. Ahora toque las cuerdas y escuche el resultado. Musicalmente es una disonancia muy interesante, pero ¡no se preocupe por eso! Céntrese, por el contrario, en cuántas cuerdas suenan con claridad. ¿Empiezan algunas a zumbar o a dar un sonido sordo cuando su dedo sujeta con menos fuerza? ¿Han estado algunas de ellas totalmente muertas porque no las ha sujetado bien en el traste? (La 5.ª y la 4.ª pueden ser particularmente problemáticas en este sentido.) Y, por último, pero no menos importante, ¿qué tal aguantan sus músculos y articulaciones las considerables exigencias que les pide el barré? Suelte el acorde tras unos segundos, deles un descanso a las manos y pruebe otra vez: identifique ahora las cuerdas que no suenan bien con su púa y, si fuera necesario, ayude temporalmente con el segundo dedo al índice para sujetar las cuerdas en el traste.

Seguro que ahora está contento con el sonido que obtiene del barré (un sonido sin

(Forma de colocar E menor)

G menor con gran barré

zumbidos lleva algo de tiempo y, como siempre, no fuerce el dedo) y estará preparado para transformar el «no-acorde» que actualmente genera en algo útil armónicamente.

Mantenga el dedo índice en la cejilla como antes (no presione las cuerdas aún), y coloque su tercer y cuarto dedos en el 5.º traste (dos trastes sobre el barré) en, respectivamente, la 5.ª y 4.ª cuerdas. Ahora presione los dedos hacia abajo y rasguee: el resultado debe ser un acorde de seis cuerdas en G menor. Reconocerá la forma básica que ha creado ahora mismo como una versión modificada del acorde antiguo en E menor que ya había aprendido, pero ahora, gracias al barré, lo puede mover alrededor de la cejilla y tocar acordes menores en todas las posiciones a las que llegue la mano izquierda. En las siguientes dos páginas, modificará otras posiciones de los dedos y las combinará con barrés, expandiendo considerablemente su repertorio de acordes en el proceso.

ARRIBA. Coloque el pulgar para dar el máximo apoyo al dedo índice.

IZQUIERDA. Usted ha usado el segundo dedo para reforzar sus primeros pequeños barrés; también puede ayudarlo para sujetar en el gran barré hasta que sea necesario para otras funciones.

ARRIBA. Este es un buen acorde: una G menor en 3.ª posición sujeta al traste.

Cambiar de cuerdas con el barré

Como el capodastro (véase páginas anteriores), el gran barré «libera» formas de acordes cuya dependencia de las cuerdas abiertas antes las confinaba al fondo del mástil. Casi todas las digitaciones pueden usar el barré y aquí mostramos cómo se hace y qué resultados pueden darse.

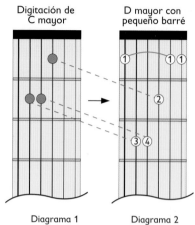

Digitación de C mayor · D mayor con pequeño barré

Diagrama 1 · Diagrama 2

Ya hemos experimentado con la forma «E menor»: su pariente cercana, E mayor necesita solo un dedo más para producir una #G en la 3.ª cuerda (véase diagrama 1). Mantenga la nota con el segundo dedo (no el índice, por razones obvias, que hemos desplegado antes para ello) y use el tercer y cuarto dedos en las otras dos cuerdas sujetas. Después, deslice los tres dedos un traste, dejando espacio para que el índice forme un gran barré justo detrás de ellos. Ahora tenemos otro acorde movible de seis cuerdas: tocado en la primera posición, su F mayor (véase diagrama 2 y fotografía), y cada cambio de un solo traste después sube su tono un semitono. Dondequiera que vaya, lo que genera la posición relativa de las notas en las armonías permanece igual, como es el caso de las formas cambiadas. La nota raíz baja (F para F mayor, F# para F# mayor, etc.) está siempre en la 6.ª cuerda, la tercera mayor (A para F mayor, A# para F# mayor, etc.) permanece en la 3.ª y así sucesivamente.

Vayamos ahora a modificar las formas «A menor» y «A mayor», en las que la 6.ª cuerda permanece en silencio y la nota baja raíz se encuentra en la 5.ª. Otra vez, como puede ver por las fotos y diagramas, es necesario recolocar los dedos, pero cuando esto se ha hecho, las formas sujetas por el barré nuevo pueden dar todo desde la B mayor y menor (como la primera posición) hasta A mayor/menor en el 11.º traste, siempre que la forma del cuerpo de su guitarra le permita suficiente espacio para llegar ahí.

Pero ocasionalmente el gran barré no podrá ayudarnos a cambiar de acorde, o las contorsiones a las que fuerza a los dedos serán un poco incómodas. Pocos guitarristas se preocupan por hacer el barré la forma básica «G mayor», pues una distribución bastante parecida de las notas puede obtenerse mucho más fácilmente mediante un tipo de digitación «E mayor». En contraste, la forma de «C mayor» puede desplazarse por el mástil bastante fácilmente, pero solo se necesita hacer un pequeño barré para eso, como demuestra la ilustración. Algunos instrumentistas creen que este acorde es demasiado forzado y, como otras muchas posiciones de los dedos, requiere tiempo acostumbrarse.

ARRIBA. Forma de acorde F mayor en barré.

ABAJO. Forma de acorde B♭ mayor en barré.

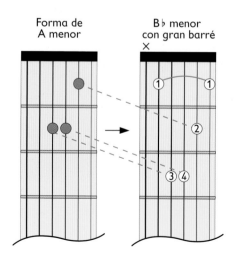

Forma de A menor · B♭ menor con gran barré ✕

Sin embargo, es indudablemente más cómodo que la alternativa de cuatro cuerdas que aparece fotografiada al lado: un acorde que el autor aún encuentra excepcionalmente difícil después de más de 30 años tocando.

Forma de C mayor — D mayor con pequeño barré

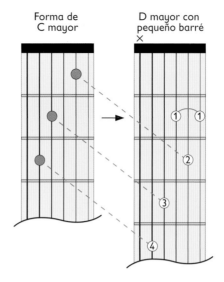

ARRIBA. Digitación de D mayor con pequeño barré.

Forma de A mayor — B♭ mayor con gran barré

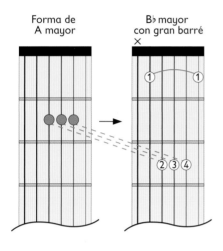

Forma de D mayor — E♭

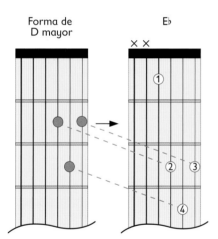

IZQUIERDA. Aquí, la forma mostrada en el diagrama de al lado forma un acorde de 3.ª posición.

LAS «BUENAS» Y «MALAS» CLAVES DE LA GUITARRA

Aunque el gran barré nos da acceso a acordes en una gama ilimitada de tonalidades, no puede eludirse que tocar durante largos periodos de tiempo en, por ejemplo, G♭ mayor o B♭ menor es difícil de gestionar en la guitarra.

El problema es menos grave cuando se hacen solos, pues las notas individuales en las tonalidades más «remotas» no son más fáciles o difíciles de encontrar que lo que suponen otras.

Sin embargo, usted es libre de decidir sus mejores claves, pero a menudo tendrá que poner «buena cara» ante estas dificultades. Si le interesan el jazz o el swing se verá desbordado por saxos y trompetas, que prefieren generalmente tonos «bajos» como los listados arriba, y cuando acompañe a los cantantes, estará obligado a tocar en las claves que se adapten mejor a sus gamas vocales. Así, para maximizar su versatilidad musical, siga practicando estos barrés.

El barré en acción

En la época de las grandes bandas de salón de baile, cuando el primer papel del guitarrista era aporrear las piezas de ritmo con una acústica de mucho cuerpo, mientras que instrumentos más bajos como los saxos y las trompetas eran el centro de atención, los instrumentistas tenían que usar acordes de cinco y seis cuerdas para que se los oyera. Por este motivo, los profesores de guitarra a la vieja usanza dedicaban a menudo mucho tiempo a ejercicios que consistían en largas secuencias de formas del gran barré, poniendo a prueba en el proceso la paciencia y los músculos de muchos pupilos.

El gran barré sigue siendo una técnica esencial, pero las densas texturas que puede generar no siempre son apropiadas para los estilos musicales modernos. Los acordes de múltiples notas como los que usted ha aprendido son abreviados a veces en formas de dos o tres cuerdas que solo puede dar una vaga idea del contenido armónico de sus originales.

A su vez, pueden ser puntuadas o unidas mediante *licks* y otras figuras para dar variedad e interés. Ejemplos de estos «trucos del negocio» pueden verse en los ejemplos inferiores, que demuestran algunos de los modos en que puede usarse el barré para añadir flexibilidad y fluidez a su forma de tocar.

El primer ejercicio empieza con una secuencia de acordes fuertes que le llevan a la parte alta del mástil para algunas formas de cuatro cuerdas (trate de tomar estas de manera más suave), después va hacia abajo otra vez, mediante una transición con truco de E menor a C en el compás 5, hasta un final con toque. Asegúrese de que la 5.ª cuerda abierta en la penúltima barra solo la toca en los pulsos primero y tercero, y después la deja vibrar; y tome las corcheas de esta barra y también las de los compases 1, 3 y 5 con rasgueos hacia abajo y hacia arriba.

Atajar en las rejillas de acordes

Donde corresponda, la notación de este capítulo ha incluido diagramas de acordes para guiarle, pero probablemente sean superfluos ahora que ya está más acostumbrado a los «puntos» y la tablatura, así que de ahora en adelante no siempre los incluiremos. Las notas y formas del segundo ejercicio no debieran ser muy difíciles de descifrar, aunque sus dos barras finales contienen algunas armonías suspendidas de fácil digitación pero más «exóticas», parecidas a aquellas que aparecieron un poco antes. Disfrute del efecto que producen y pronto nos centraremos en cómo se crean.

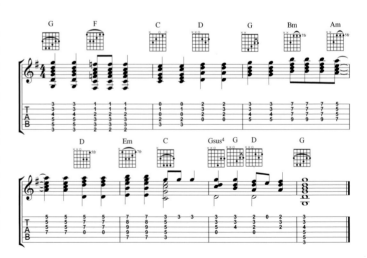

ABAJO A LA IZQUIERDA. No se alarme por las incursiones a la parte alta del diapasón que requiere el segundo ejercicio porque sus digitaciones le son todas familiares. La imagen superior de la izquierda muestra el pequeño barré en la 5.ª posición para lo acordes de A menor en el compás 1 (a primera barra completa después de la negra de compás débil).

ABAJO. Una barra después, el dedo índice se desplaza dos trastes para tocar G y D en las dos cuerdas superiores, mientras que el segundo dedo completa el acorde con una B en el 4.º traste/3.ª cuerda.

ARRIBA. El acorde de tres notas C mayor del compás 3 usa las mismas digitaciones que el de la fotografía anterior, pero cambiado a la 8.ª posición.

ARRIBA. Este es el acorde B menor para la barra 4, un pequeño barré directo en la 1.ª, 2.ª y 3.ª cuerdas en el 7.º traste. Cuando lo haya tocado, prepárese para tocar la E baja en la 6.ª cuerda abierta.

Lo que ha aprendido

La notación musical estándar usa un pentagrama de cinco líneas. Las notas que aparecen en él muestran los tonos que hay que tocar; su duración es indicada por su apariencia y forma, y por sus rabillos (si los hubiere).

Tablatura («tab») es la alternativa de seis líneas, basada en la guitarra, a la notación. Muestra las posiciones de las líneas y trastes necesarios para tocar notas y acordes de piezas.

Las líneas verticales en el pentagrama o la tablatura marcan los compases (patrones rítmicos de pulsos fuertes y débiles, basados normalmente en las longitudes de las notas negra, blanca y corchea).

El número de pulsos en una barra y su tipo (negra, blanca, corchea, etc.) se define por la marca de tiempo que aparece al principio de una pieza de música con notación.

La longitud de las notas puede modificarse por puntos y ligados. Un punto tras una nota significa que la alarga la mitad de su duración original; las notas ligadas solo se tocan una vez y se mantienen durante el número total de sus pulsos combinados.

Los tonos de las notas pueden variarse temporalmente mediante alteraciones (sostenidos, bemoles y becuadros). Cuando se colocan delante de una nota, un sostenido sube la nota un semitono, un bemol baja la misma cantidad, y un becuadro «cancela» los sostenidos y bemoles anteriores. Las alteraciones se aplican solo dentro del compás donde se producen.

Para subir o bajar notas particulares en una pieza de música, se usa una armadura. Esta aparece al principio de cada pentagrama e indica los bemoles y sostenidos necesarios para la clave mayor o menor en la que está la pieza.

Escalas y mucho más

En las siguientes páginas continuaremos explorando los bloques de creación de música, progresando desde «do-re-mi» a las tónicas, subdominantes y dominantes, revelando los misterios de la escala menor melódica y armónica... y descubriendo cómo la comprensión de dichos términos y conceptos puede acelerar y sistematizar su aprendizaje de la guitarra. También examinaremos la arquitectura subyacente de una gama de acordes comunes, algunos ya familiares y otros que ofrecen nuevas e increíbles gamas de tonos. Entre el segundo grupo está la llamada «dominante 7.ª», cuyo prosaico nombre no refleja su versatilidad casi interminable, o el papel vital que juegan en el pop y el jazz. Los ejercicios en clave mayor y menor del final del capítulo demuestran algunos de sus atributos y sabores especiales.

Su primera escala

Escalas... solo su mención provoca tristeza en los corazones de innumerables antiguos alumnos de piano, que las asocian con horas de práctica tediosa y la amenaza de bronca del profesor como castigo por un dedo mal colocado. En el piano, las escalas son aburridas, monótonas y (quizá lo peor de todo) predecibles. Debido a la configuración nítida y lógica del teclado, encontrar sus notas constituyentes es relativamente fácil y aprenderlas conlleva escaso sentido de aventura y consecución. Además, si el alumno tiene que repetirlas hasta la saciedad, puede acabar con el entusiasmo del más aplicado.

Para los guitarristas, las escalas tienen un valor más práctico, y el hecho de practicarlas ayudará a desarrollar un «mapa» mental del diapasón (esencial en un instrumento que no tiene teclas blancas y negras para guiar la mano izquierda) y le dará modelos de digitaciones que le permitirán situar cualquier nota que necesite, dondequiera que esté en el mástil. La adquisición de este conocimiento lleva tiempo, pero el proceso de aprendizaje será vivido más como un viaje de descubrimiento que como un tarea a medida que vaya tomando conciencia de que cada escala nueva puede desbloquear un poco más el potencial de la guitarra, y revelar posibilidades frescas para melodías y *riffs*.

Comenzaremos nuestra exploración de las escalas en el extremo inferior del mástil, «un lugar muy bueno para empezar» (como dice Julie Andrews en *Sonrisas y lágrimas*), debido al gran número de escalas diferentes que podemos encontrar ahí. Primero, tenemos que acostumbrarnos a sujetar por el traste sucesiones de notas individuales intentando una escala **cromática** de dos octavas, algo que suena muy diferente a la mayor de ocho pasos representada en la famosa canción *Do-Re-Mi* de Julie Andrews, que se mueve en pasos de semitonos y toma todas las notas que encuentra. Prepárese para tocarla colocando sus dedos de la mano izquierda sobre las primeras cuatro posiciones de los trastes del instrumento, en la 6.ª cuer-

da, como aparece en la fotografía 1. Ahora toque la cuerda E abierta, seguida a su vez por las cuatro notas (F, F#, G y G#) que están bajo los dedos (véase la notación). Haga una leve pausa, eleve su dedo meñique fuera del 4.º traste y vuelva a juntar sus dedos sobre la 5.ª cuerda (véase la fotografía 2). Cuando esté preparado, tome la A abierta y luego toque las siguientes cuatro notas usando la misma secuencia de dedos. Usamos casi exactamente la misma técnica para el resto de la escala; la única desviación se produce en la 3.ª cuerda, donde, por la forma en la que la guitarra está afinada, solo tres notas sujetas al traste son necesarias antes de movernos a la 2.ª cuerda (véase la fotografía 3).

Este símbolo es un signo de «pausa»; es una instrucción para alargar la longitud de una nota o descansar tanto como usted considere.

ESCALAS EN ABUNDANCIA

¿Cuántas escalas hay? Es un cálculo casi imposible, pero tomando los ejemplos de la mayor, menor, pentatónica, modal, hexatónica, «enigmática» y las no europeas, el total debe de estar en varios miles.

El mayor compendio de escalas publicado jamás fue hecho por el académico y compositor Nicholas Slonimsky, ruso de nacimiento pero afincado en Estados Unidos, cuyo *Thesaurus of Scales and Melodic Patterns*, publicado en 1947, todavía se vende. El estudio profundo de las escalas puede parecer ajeno al espíritu despreocupado del rock and roll…, pero gran parte de los artistas en el estrellato encuentran en dicho estudio una recompensa técnica e incluso una cierta liberación de sus ensayos rutinarios. El líder de King Crimson, Robert Fripp, comentó una vez a la revista *Guitar player* que él disfrutaba «practicando todas las diferentes claves y escalas para familiarizarme con ellas, y después… salir a escena, olvidarme completamente de lo que he practicado y simplemente estar ahí».

IZQUIERDA-FOTOGRAFÍA 2. La técnica de un traste por cada dedo se aplica en la 5.ª cuerda.

DEBAJO-FOTOGRAFÍA 3. Debido al intervalo más pequeño entre las 3.ª y 2.ª cuerdas, la siguiente nota después de que B se sujete aquí en el 3.º será una B becuadro sin traste desde la 2.ª.

ARRIBA-FOTOGRAFÍA 1. Cuatro trastes, cuatro dedos. Preparándose para tocar las notas de la escala cromática en la 6.ª cuerda.

Un flujo de semitonos

Una vez que ha tocado la escala lentamente, con cortes en cada cambio de cuerda, vea si puede gestionarlo con más fluidez, como una línea constante de corcheas. Encontrará más fácil esto si sujeta los dedos lo más cerca que pueda del diapasón, reduciendo su movimiento vertical al mínimo.

Escalas mayores (1)

Para llegar a las notas de la escala cromática que acaba de tocar, ha asignado posiciones de trastes consecutivos (en este caso, sus primeros cuatro trastes) a los dedos contiguos de la mano izquierda (el 1.º, 2.º, 3.º y 4.º) y cada dedo es responsable de todas las notas que encuentra en su «propio» traste, en cualquier cuerda que esto ocurra. La técnica de «un traste por dedo» es crucial para jugar con la escala en la guitarra; y enseguida estaremos aplicándola a la escala que más se usa normalmente en la música occidental: la escala mayor.

Usted ha hallado ya las claves principales y los «trucos de los tres acordes» relacionados con ellos, y ha tocado una melodía en clave mayor (*While Shepherds Watched Their Flocks By Night*, véase páginas anteriores). También estará ya familiarizado con la canción *Do-Re-Mi* de la película *Sonrisas y lágrimas* que hemos mencionado en las dos páginas anteriores, y cuya melodía y letra establecen las notas esenciales de la mayor (desde «Do» y vuelta hasta «Do»). Echemos ahora un vistazo a fondo para ver cómo está construida la escala.

Gracias a Richard Rodgers y Oscar Hammerstein sabemos que la mayor está formada por ocho notas, contando la nota de inicio (**clave**) dos veces. La nota clave puede ser cualquiera de las 12 notas de la escala cromática, pero cualquiera que se elija, la mayor siempre sigue este modelo:

- Su segunda nota es dos semitonos (igual a un tono) por encima de la nota clave.
- Su tercera nota es un tono por encima de la segunda nota.
- Su cuarta es un semitono por encima de su tercera.
- Su quinta es un tono por encima de su cuarta.
- Su sexta es un tono por encima de su quinta.
- Su séptima es un tono por encima de su sexta.
- Su octava nota clave es un semitono por encima de la séptima.

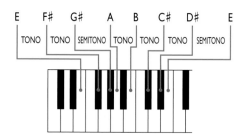

He aquí un diagrama del estilo de piano que demuestra cómo la «fórmula» explicada arriba se aplica a la escala mayor específica, E mayor. Tras ver sus intervalos configurados en el teclado, hemos de localizarlos ahora en el mástil de la guitarra según nos preparamos para tocar una escala de dos octavas de E. Coloque los dedos de la mano izquierda sobre la 6.ª cuerda (como hizo para la escala cromática), empiece por tomar la E abierta baja, y después continúe la notación y la tablatura para encontrar las otras notas. Recuerde sujetar las que están en la primera posición del traste con el primer dedo, las que están en el segundo traste con el segundo dedo y así sucesivamente.

Algunas otras mayores de dos octavas caen fácilmente en los dedos en esta sección del diapasón. Intente las escalas de la G mayor y la A♭ mayor que se muestra en

ARRIBA. Junto al inicio de la escala de E mayor: según el segundo dedo sujeta la F# en el 2.º traste/6.ª cuerda, el dedo meñique se prepara para tocar G# en el 4.º traste.

IZQUIERDA. Las únicas notas requeridas desde la 3.ª cuerda en nuestra escala de E son G# (1.er traste), que la acaba de tocar, y la A en el 2.º traste, que se sujeta aquí con el segundo dedo.

ARRIBA. La transición de C# (4.º traste/5.ª cuerda) a D# (1.er traste/4.ª cuerda).

IZQUIERDA. Aquí casi hemos llegado al tope de la segunda octava de la escala de E. El segundo dedo sujeta la C# (2.º traste/2.ª cuerda), mientras el cuarto dedo va por D# (4.º traste/2.ª cuerda).

la página anterior, y una vez que las domine tocándolas en movimiento ascendente, tal como aparecen aquí, vea si puede hacerlas en dirección contraria. El consejo es el de siempre: hágalo primero muy despacio, hasta que logre interiorizarlo, para después practicarlo más rápido.

La armadura, con la que no está familiarizado, de A♭ mayor indica que todas las B, E, A y D de la escala deben bajar de tono.

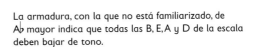

Escalas mayores (2)

Las cuerdas abiertas de la guitarra, tan útiles cuando se combinan
con las formas simples para generar acordes básicos en las «claves
buenas» de la guitarra, pueden ayudarnos también a tocar
numerosas escalas de octava mayor. Aquí hay dos ejercicios cortos
en las claves de C y D mayor, usando armonías del «truco de los
tres acordes» combinadas con pasajes de escala.

Mientras las practica, encontrará que
apenas tiene que mover la mano izquierda de las posiciones de sujeción de los
acordes para situar las notas de la escala,
que a menudo se pueden producir subiendo
o sustituyendo el dedo ocasional.

yor que acaba de intentar, y transportándola
arriba una octava.

En su versión original, el «salto» de C a
C no planteó problemas, pues ambas notas
formaban parte de la forma familiar de la
primera posición del acorde de C mayor.
Ahora usted necesita ir rápidamente desde
C baja, dada antes por el 1.er traste en la 2.ª
cuerda, al de una octava por encima de él,
que solo se puede encontrar en el 8.º traste
de la 1.ª cuerda. El salto resultante es bastante incómodo para que sea practicable,
pero ¿qué pasaría si coloca su segundo dedo
en el 8.º traste, «cubriendo» los trastes vecinos con los otros dedos, y tocase el pasaje
así (página opuesta arriba)?

El factor restrictivo con las escalas que
se muestran arriba, y con aquellas de las páginas anteriores, es su ámbito restringido.
Cuando mantiene la mano izquierda sobre
los primeros cuatro trastes, la nota más alta
disponible, usando la norma «un traste por
dedo», es el A♭ en el 4.º traste de la 1.ª cuerda. A fin de estirar más allá y para tocar un
mayor número de escalas de dos octavas, es
necesario desplazarse más alto en el mástil y
dominar nuevas técnicas con la mano izquierda.

Podemos experimentar con estas tomando parte de la melodía del ejercicio de C ma-

DERECHA. Incluso la
mano más grande no
puede llegar a la C
una octava por
encima de la que se
está sujetando en el
traste en la 2.ª cuerda.

Ahora no hay dificultad, puesto que todas las notas están dentro del rango de la mano izquierda, y si quisiera extender la escala hacia abajo (como se muestra en la

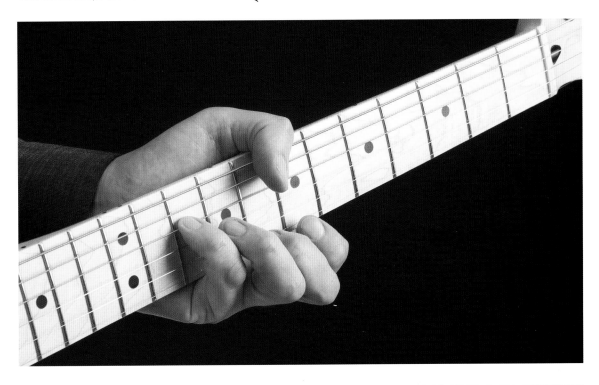

ARRIBA. Digitaciones para el inicio del ejercicio superior: el dedo meñique mantiene sujeta una C en el 10.° traste/4.ª cuerda, con el segundo dedo preparado en la octava C (8.° traste/1.ª cuerda).

DERECHA. La G, F y E descendentes en el compás dos del ejercicio: la G viene del 8.° traste/2.ª cuerda, y es tomada por el segundo dedo, mientras el cuarto y tercer dedos se preparan para tocar F y E en, de forma respectiva, el 10.° y 9.° trastes en la 3.ª cuerda.

parte inferior de la página), podría hacerlo sin necesidad de mover más la muñeca o el brazo.

En las siguientes dos páginas veremos cómo usar esta digitación para las escalas

mayores en otras claves, y también examinaremos algunas formas alternativas de aproximarse a ellas, para completar todo el abanico de posibilidades.

Escalas mayores (3)

Las digitaciones que acaba de aprender dan una escala de dos octavas no solo en C, sino para claves mayores de F# (para la que debiera empezar en el 2.º traste de la 6.ª cuerda) hasta la D (empezando desde su 10.º traste). Puede que sea imposible manejarlos en posiciones más altas si está tocando una guitarra con solo 12 trastes fuera de su caja y/o sin «cutaway», como la de la foto. Sin embargo, en algunas eléctricas podrá continuar usando la escala incluso más allá del 12.º traste.

Este diagrama «universal» resume la situación necesaria de la cuerda y del dedo para producir estas escalas, y es válido para todas las claves alcanzables en el instrumento de la guitarra.

IZQUIERDA. Al empezar su escala mayor ascendente en la 6.ª cuerda, sujetando su primera nota con su segundo dedo, y siguiendo después las posiciones ilustradas del dedo hacia arriba (2.ª nota de la escala = cuarto dedo/6.ª cuerda, 3.ª nota de la escala = primer dedo/5.ª cuerda, 4.ª nota de la escala = segundo dedo/5.ª cuerda, y así sucesivamente), puede tocar mayores en una amplia gama de claves, como se ha explicado más arriba.

Gracias al método de «un traste por dedo», todas las ocho notas son fácilmente accesibles, pero después de que usted haya llegado a la D en la 3.ª cuerda (ahora mismo sujeta al traste con el dedo meñique), parece que no quedan dedos disponibles para seguir hacia arriba. La solución consiste en hacer un cambio rápido de posición: después de sujetar la C# en la 3.ª cuerda con el tercer dedo, mueva el dedo índice hasta la D en el siguiente traste, y toque la octava superior como se indica abajo:

Cambio de posición

ABAJO. Como siempre, cada dedo de la mano izquierda es «responsable» de un traste concreto, así aquí: las notas del 4.º traste son tomadas por el índice, las del 5.º traste por el segundo, etc.

ARRIBA. Las digitaciones para la primera octava de la escala son idénticas a las del ejemplo precedente. En el punto del «cambio», la mano izquierda se mueve desde la 4.ª posición (como se explicó antes, las «posiciones» se definen por la colocación del dedo índice en un traste específico) a la 7.ª posición, con el dedo índice tocando todas las notas posteriores del 7.º traste (como la D al principio de la segunda octava de nuestra escala), y el segundo dedo cubriendo el 8.º traste, etc.

Vamos a explorar ahora otra escala mayor de dos octavas hacia arriba en el diapasón. En este caso empieza desde la 5.ª cuerda, sujeta por el segundo dedo, y primero probaremos en clave de D. He aquí la primera octava:

IZQUIERDA. Comenzando por la segunda octava de la escala de D mayor: el dedo índice sujeta la D en el 7.º traste/3.ª cuerda, mientras el tercer dedo se prepara para tocar E en el 9.º traste.

ARRIBA. El tercer dedo toca C# en el 6.º traste/3.ª cuerda, con el dedo índice colocado para su salto hacia arriba al inicio de la segunda octava.

IZQUIERDA. Ahora hemos llegado a las tres notas más altas de la escala, que vienen todas de la 1.ª cuerda; el dedo índice toca B /7.º traste, y las siguientes C# y D están cubiertas por el tercer y cuarto dedos en los trastes 9.º y 10.º.

El «salto» en el medio de esta escala significa que solo puede usarse para unas seis claves mayores, B (empezando en el 2.º traste) a E (empezando en el 7.º traste), antes de que se quede sin espacio en el mástil. Es útil y merece la pena añadirlo a su repertorio. Este diagrama le recordará cómo funciona.

DERECHA. El punto de inicio para la primera octava de esta escala es la 5.ª cuerda, con la primera nota sujeta en el traste por el segundo dedo. El cambio de la posición (tercer dedo/3.ª cuerda a primer dedo/3.ª cuerda) siempre se produce al principio de la segunda octava.

Posición del cambio

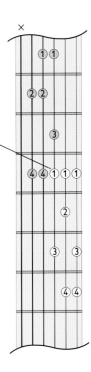

MANTENER SUS DEDOS EN POSICIÓN

Cuando se intentan por primera vez las escalas u otros pasajes de notas únicas, muchos guitarristas tienden a subir los dedos de la mano izquierda varios centímetros fuera del diapasón después de sujetar una nota en el traste, y «bajan» a las cuerdas también desde una distancia excesiva. Esto no es un problema cuando se practica despacio, pero si llega a convertirse en un hábito, limitará mucho su habilidad para ejecutar sucesiones rápidas de notas, pues pierde tiempo y energía mientras mueve sus dedos en el aire. Trate de reducir el corte entre cada dedo y las cuerdas, y no permita que las yemas de los dedos se aplanen cuando aprieta los trastes, e intente lo mejor que pueda que los movimientos de la mano izquierda sean lo más económicos posible.

Escalas menores (1)

Las escalas menores son un poco más complejas que sus homólogas mayores, ya que el término «menor» se usa para describir dos secuencias diferentes de notas (aunque estén muy relacionadas). Como ya hemos descubierto, el factor que define la menor es la presencia de un intervalo de tres semitonos (conocido como tercera menor) entre la clave y la tercera en su acorde «raíz». Veamos ahora los intervalos que separan las primeras cinco notas de su escala.

- La segunda nota de la menor es un tono por encima de la nota clave.
- Su tercera nota es un semitono por encima de la segunda.
- Su cuarta es un tono por encima de la tercera.
- Su quinta es un tono por encima de la cuarta.

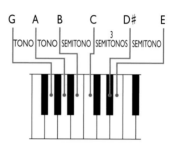

IZQUIERDA. La segunda parte de una E armónica menor, tal como aparece en el teclado.

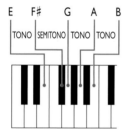

ARRIBA. Este es el inicio de la escala de E menor, configurado en el teclado de un piano para ilustrar los cortes entre sus primeros cinco pasos.

Por el momento, las cosas están bastante claras, pero las distancias entre los intervalos restantes dependen de si la escala menor que estamos tratando es lo que los músicos denominan una menor **melódica** o **armónica**. La menor armónica es más simple, pero normalmente se usa menos: su sexta nota es un semitono sobre su quinta, mientras que su séptima nota está una **tercera menor** (tres semitonos) sobre su sexta. Después de este intervalo situado de forma tan curiosa, que da a la escala un cierto toque oriental, hay un semitono más normal entre la séptima y la octava claves.

Las menores melódicas suenan más convencionalmente que en la música «occidental», pero tienen una característica propia inusual: sus notas cambian dependiendo de si la escala sube o baja. En su ascenso, la melódica tiene tonos entre su quinta y sexta, y su sexta y séptima. Un semitono separa la séptima y la octava nota clave. Bajando, los intervalos funcionan como sigue:

- La séptima está un tono por debajo de la nota clave octava.
- La sexta está un tono por debajo de la nota clave séptima.
- La quinta está un semitono por debajo de la sexta.
- Los intervalos restantes son los mismos que para la escala ascendente.

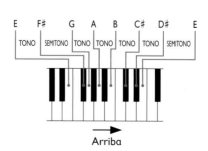

IZQUIERDA. E melódica menor en forma ascendente.

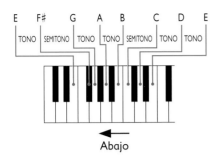

ARRIBA. E melódica menor en su forma descendente.

Afortunadamente, tanto las menores armónicas como las melódicas son más fáciles (y más divertidas) de tocar en la guitarra que de describir. Empecemos, como hicimos con las mayores, por aprender algunas versiones de dos octavas en ambos tipos, usando tantas cuerdas abiertas como sea posible. Aquí hay dos pares de las escalas de E menor y G menor. Ambas debieran sujetarse usando el método de «un dedo por traste», con el dedo índice asignado al 1.er traste, el segundo dedo al 2.º traste, y así sucesivamente.

E menor (armónica)

E menor (melódica)

G menor (armónica)

Armadura de G menor: las B y las E bajan de tono, excepto las modificadas por las alteraciones

G menor (melódica)

IZQUIERDA. El conocimiento de las escalas le ayudará a crear *licks* y solos, y le facilitará encontrar las notas que necesita.

Escalas menores (2)

La escala menor armónica aparece raramente en el pop occidental,
aunque se usa mucho en el flamenco español y otras músicas étnicas,
además de en las composiciones clásicas. Aquí aparece un ejercicio simple
en clave de D menor que da una idea de sus posibilidades.

Armadura de D menor

IZQUIERDA. Como esta pieza está en D menor, los «ingredientes activos» de su escala menor armónica son B♭ y C#: escuche el efecto singular que crean. Está basado en formas de acordes (como D menor y A) con los que ya está familiarizado, y no necesita alejarse más allá de los tres primeros trastes para tocar, así que debería poder sacar las digitaciones adecuadas de la mano izquierda sin demasiadas dificultades.

En contraste, la menor melódica es la base de miles de melodías y canciones. Vamos a intentar una de las más conocidas, *Greensleeves*, en A menor (véase a la derecha).

Como puede ver, la elección de subir o bajar de tono las notas 6.ª y 7.ª (F/F# y G/G#) viene, a menudo, pero no siempre, determinado por si la melodía se desplaza hacia arriba o hacia abajo, y al principio de su segunda sección, *Greensleeves* empieza incluso más lejos de las notas «oficiales» de la escala siguiendo una G becuadro con una F#. Hay varias explicaciones para tales desviaciones (casi todas basadas en tecnicismos secretos), pero su mejor justificación es simplemente que suenan bien, y eso, como un famoso compositor señaló una vez, cuando se trata de hacer música, «las normas deberían ser nuestras humildes siervas».

La necesidad de alcanzar algunas de estas notas «inesperadas» significa que hemos de hacer adaptaciones y modificaciones ocasionales de nuestra cosecha al usar digitaciones estándar en clave menor (algunas de ellas incluso en su formato «regular» son bastante sencillas, como sus homólogas mayores). La digitación útil de dos octavas me-

Nueva marca de tiempo

Semicorchea (véase recuadro)

Barras de 1.er y 2.º tiempo o (véase recuadro)

lódica menor en la parte superior de la página siguiente necesita de dos cortes con la mano izquierda según progresa hacia arriba y hacia abajo en el diapasón.

Comienza en la 5.ª cuerda con una nota sujeta por el dedo índice y puede trabajar en claves entre B♭ menor (empezando en el 1.er traste) y D menor (empezando en el 5.º traste), y posiblemente puede llevarse más arriba, dependiendo de su instrumento. La in-

ARRIBA. Todas las notas para *Greensleeves* o vienen de cuerdas abiertas, o de digitaciones de la primera posición (dedo índice en el 1.er traste, segundo dedo en el 2.º traste, etc.).

tentaremos en B menor; siga la notación (derecha), la colocación de los dedos y las fotos de abajo para tocarla.

Después de empezar en B (dedo índice, 2.º traste/5.ª cuerda) y sonar las primeras cinco

Cambio de posición   Cambio de posición

IZQUIERDA. Las primeras dos imágenes muestran el cambio de posición entre los pasos 5.º y 6.º de la B melódica menor ascendente (véase texto). Aquí, el tercer dedo sujeta F# en el 4.º traste/4.ª cuerda, mientras el dedo índice se prepara para moverse hacia arriba.

notas de la escala en la 5.ª y 4.ª cuerdas usando el método «un traste por dedo», cambie el dedo índice a la G# en el 6.º traste en la 4.ª cuerda. Esto traerá las demás notas ascendentes justo debajo de los dedos. Una vez que haya llegado arriba de B (7.º traste, 1.ª cuerda, segundo dedo), mueva la muñeca hacia abajo dos trastes y coloque su dedo meñique en la 1.ª cuerda de A (5.º traste). Ahora puede llegar a las demás notas descendentes sin más cambios de posición.

ABAJO. El otro cambio de posición en melódica menor B: el dedo meñique acaba de moverse del 7.º traste/1.ª cuerda (donde ha estado tocando B) a A becuadro en el 5.º traste/1.ª cuerda. G becuadro, F# y el resto de la secuencia descendente de notas de la escala son fácilmente accesibles.

IZQUIERDA. El dedo índice ha terminado su salto al 6.º traste/4.ª cuerda y está tocando G#, mientras el tercer y cuarto dedos se mantienen en el aire sobre A# y B.

TIEMPO 6/8, SEMICORCHEAS Y PRIMERA Y SEGUNDA BARRAS DE TIEMPO

La notación para *Greensleeves* en la página anterior contiene tres características nuevas. Su marca de tiempo 6/8 indica que hay seis «notas octavas» (esto es, corcheas, cada una con «valor» de un-octavo de una semibreve) por compás. No obstante, estas se agrupan en pares de negras punteadas, dando un sentimiento de «pulso-2» a la música. Contar «1-2-3 2-2-3» lo ayudará a situar las corcheas individuales dentro del pulso general.

Las notas con «doble rabillo» que siguen a las corcheas punteadas son **semicorcheas,** cuya duración es la mitad de la de una corchea. El modelo distintivo corchea

punteada/semicorchea/corchea en *Greensleeves* puede contarse como «1-2-y-3» dividiendo la segunda corchea en la mitad, con la corchea punteada cayendo sobre el «1», la semicorchea en el «2» y la corchea final en «3».

Por último, las dos secciones repetidas de *Greensleeves* incorporan barras con un paréntesis que marca «1» y «2». La primera vez que toque cada mitad de la melodía debería incluir los compases «1» (también conocido como «primer tiempo») y omitir aquellas marcadas «2». En la repetición, ignore los compases del «1.er tiempo» y, después de tocar la barra antes del paréntesis, salte a la sección marcada «2».

Escalas menores (3)

He aquí un resumen de las digitaciones para nuestra menor de dos octavas melódica en formato de diagrama.

DERECHA. En esta digitación, la menor ascendente melódica empieza con la nota clave sujeta al traste por el dedo índice en la 5.ª cuerda. El cambio en la posición (3.er dedo/4.ª cuerda a primer dedo/4.ª cuerda, véase diagrama) se produce entre los pasos 5.° y 6.° de su primera octava.

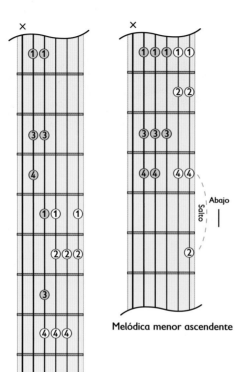

Melódica menor descendente

Melódica menor ascendente

IZQUIERDA. Bajando, el cambio de posición se produce justo después de la nota más alta de la escala, que se toca con el segundo dedo en la 1.ª cuerda. La nota 7.ª descendente se sujeta entonces con el cuarto dedo, en la misma cuerda, dos trastes más abajo.

ARRIBA-FOTOGRAFÍA
1. Tocando la A, G# (sujeta aquí por el tercer dedo) y F# en la 1.ª cuerda de la sección A de los extractos de *Greensleeves*.

Modelos como estos son excelentes «hojas de ruta» para el mástil, pero en el mundo musical real, donde las melodías en claves menores no siempre tienen las 6.ª y 7.ª subidas o bajadas un tono en el orden que prescribe la escala, es necesario a veces hacer ciertos «rodeos» desde las digitaciones estándar. Digamos, por ejemplo, que usted no quiere tocar *Greensleeves* en A menor (como aparecía en las dos páginas anteriores), sino en B menor. A la derecha están las tres secciones de la canción escrita (o para usar el término musical, transportada) en la nueva clave.

Aunque las digitaciones que se muestran encima de las notas en estos extractos transportados están basados en los de la escala regular melódica menor, han tenido que ser

ajustados para acomodar las G# en secciones A y B (una menor descendente melódica tendría las G becuadros aquí).

En la sección A, el cambio es mínimo, porque el tercer dedo siempre está disponible para sujetar la nota «inesperada» (véase

FONDO A LA IZQUIERDA-FOTOGRAFÍA 2. *Greensleeves*, sección B; el segundo dedo sujeta la A# en la 3.ª cuerda, mientras el dedo índice se mueve de nuevo a tocar G#.

IZQUIERDA-FOTOGRAFÍA 3. La cuarta y quinta notas (F# y G#) de la sección C de *Greensleeves*.

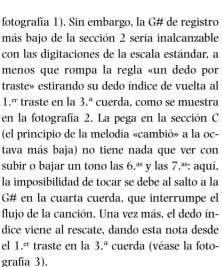

fotografía 1). Sin embargo, la G# de registro más bajo de la sección 2 sería inalcanzable con las digitaciones de la escala estándar, a menos que rompa la regla «un dedo por traste» estirando su dedo índice de vuelta al 1.er traste en la 3.ª cuerda, como se muestra en la fotografía 2. La pega en la sección C (el principio de la melodía «cambió» a la octava más baja) no tiene nada que ver con subir o bajar un tono las 6.as y las 7.as: aquí, la imposibilidad de tocar se debe al salto a la G# en la cuarta cuerda, que interrumpe el flujo de la canción. Una vez más, el dedo índice viene al rescate, dando esta nota desde el 1.er traste en la 3.ª cuerda (véase la fotografía 3).

Se necesita un alargamiento similar si queremos producir una escala menor armónica desde este modelo. Para empezar desde la 5.ª cuerda con el primer dedo, como antes, todas las notas necesarias pueden encontrarse sin reposicionar la mano izquierda, pero después de llegar a la G en el 3.er traste, en la 1.ª cuerda, necesitará extender su tercer dedo hasta el 6.º traste para A# antes de sujetar la B de arriba, un traste por encima, con su dedo meñique.

He aquí la escala total en notación y como diagrama.

Las escalas son parte esencial de tocar la guitarra y en las últimas páginas solo hemos empezado a explorar los múltiples métodos de tocarlas. No obstante, al haber aprendido algo de su estructura, va siendo hora de echar un vistazo más en profundidad a su relación con los acordes, y ampliar así nuestro conocimiento de la armonía en el proceso.

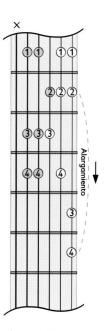

Escala armónica menor

ARRIBA. Las notas y las digitaciones para la escala armónica menor permanecen igual en ambas direcciones.

DERECHA-FOTOGRAFÍA 4. El tercer dedo se alarga hasta A# (6.º traste/1.ª cuerda) en la parte superior del modelo armónico menor.

Escalas y nuevos acordes (1)

Hasta ahora nos hemos limitado casi exclusivamente a las armonías elementales del «truco de los tres acordes más uno». El resto de este capítulo va más allá de los conceptos básicos, puesto que nos centramos en los «pasos» individuales de las escalas mayor y menor, demostrando cómo se relacionan entre ellas y usándolas como «bloques de construcción» para acordes más ricos e imaginativos.

Por ahora, no tendrá dificultad en identificar las notas individuales (C, D, E, etc.) de la escala mayor C que se muestra abajo. No obstante, los músicos a veces usan otros términos, más generalizados para los «pasos» (o **grados**) de las escalas mayor y menor, que incluyen números, nombres cortos fáciles de recordar (Do, Re, Mi, etc.) y títulos más formales que también se enumeran más abajo. Como las letras del álgebra, tales términos hacen posible debatir notas y acordes, y su función y lugar en la escala, sin estar constantemente refiriéndose a claves específicas.

nica sol-fa» diseñado para cantantes que no podían leer notaciones estándar) no la usan los guitarristas, y solo tres de los nombres más técnicos para los pasos de la escala, **tónica**, **subdominante** y **dominante**, se oyen mucho fuera de los límites de la música clásica.

ARRIBA. Aunque haya instrumentos de tamaño reducido, los pequeños deberían cambiar a guitarras «normales» (como la que se ve aquí) tan pronto como puedan dominarlas.

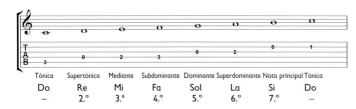

	Tónica	Supertónica	Mediante	Subdominante	Dominante	Superdominante	Nota principal	Tónica
	Do	Re	Mi	Fa	Sol	La	Si	Do
	—	2.°	3.ª	4.°	5.°	6.°	7.°	—

Nota: Estamos usando la C mayor para este y nuestros siguientes ejemplos, pero recuerde que los términos y números vistos aquí se aplican también a «todas las demás claves».

Estas son las maneras más comunes de describir las notas de la escala, pero ¡no necesita aprenderlas todas! La terminología «Do-Re-Mi» (de *Sonrisas y lágrimas*, pero, en su origen, parte de un sistema llamado «tó-

Así que, en relación con esta nueva nomenclatura para los acordes en la clave de C mayor, he aquí lo siguiente: la **tónica** es, por supuesto, el acorde **raíz** (la C mayor misma) en nuestro «truco de los tres acordes»; los otros dos acordes básicos de C mayor (F y G) son, respectivamente, la **subdominante** y **dominante**; la **relativa menor** de C mayor es A menor (el acorde menor de la 6.ª o nota **superdominante** o submediante de la escala mayor).

C   F   G   A menor

Usemos ahora alguno de estos nombres y números para definir y describir algunas armonías con «salsilla». Nuestro acorde tónico (C mayor) comprende ya el 1.º, 3.º y 5.º grados de la escala (C, E y G). ¿Qué pasaría si lo combinamos con cada una de las notas restantes (la **2.ª** (D), la **4.ª** (F), la **6.ª** (A) o la **7.ª** (B)? Con bastante lógica, añadir una 6.ª crearía un acorde de 6.ª añadida (C6 o C añadido 6, su digitación se muestra en la fotografía de la página siguiente). De hecho, usted ya ha encontrado armonías que sustituyen temporalmente la 3.ª, la 2.ª y la 4.ª dando como resultado los denominados acordes **suspendidos** como la **Csus2** y la

Csus4 mostradas más abajo, las cuales parecen naturalmente llevarnos de vuelta (o **resolver**) a la tónica.

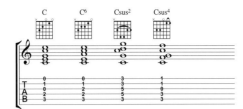

Pero lo que sucede cuando añadimos una 7.ª a una cuerda mayor es un poco más complejo, y lo examinaremos más adelante en las siguientes páginas.

ABAJO. Muchas canciones populares, especialmente en las primeras actuaciones de los Beatles, usaban acordes de 6.ª añadida (estos instrumentistas llevan dos versiones de una A6) y suspensiones.

Escalas y nuevos acordes (2)

El sonido y «sensación» únicos provistos por el acorde 7.º les da un lugar muy especial en la música, y particularmente en el pop, el jazz y el blues. Hay dos tipos distintos de 7.ª en cada escala. La primera que vamos a considerar es la sensible (véase páginas anteriores), que está un semitono por debajo de la nota octava, y 11 semitonos (un intervalo denominado mayor 7.ª) sobre la nota raíz.

ABAJO. La forma C6 que también puede cambiarse en el mástil para tocar acordes de la 6.ª en otras claves.

7.ª mayor

ARRIBA. El intervalo de la 7.ª mayor de C a B. Obviamente, las 7.ªs mayores solo existen entre dos notas cualquiera separadas por 11 semitonos (D y C#, E♭ y D, etc.).

ARRIBA. Este es el intervalo de la misma 7.ª mayor en notación y tablatura.

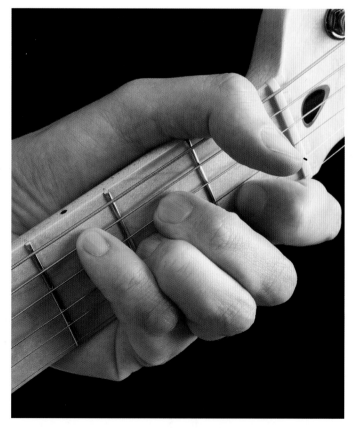

La 7.ª mayor choca levemente con la clave, pero al retener la raíz baja (C en nuestro ejemplo mayor C) y al retirar la C más alta del acorde, producimos una armonía nueva aguda (**C Mayor 7**) que funciona particularmente bien en la secuencia generada con la C mayor regular y los acordes de **C6**.

El otro intervalo de 7.ª, incluso usado mucho más extensivamente, es la 7.ª menor, solo un semitono más estrecho que su homóloga mayor (está separada por diez semitonos de la nota raíz).

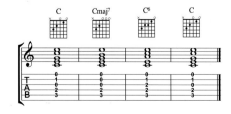

IZQUIERDA. Para tocar «C mayor 7» simplemente levante el dedo índice de la 2.ª cuerda C usada en la forma C anterior. «C6», tal como se muestra en la fotografía de arriba, tiene un poco de truco: su raíz de C (3.ᵉʳ traste/5.ª cuerda) se sujeta por el cuarto dedo; su E (2.º traste/4.ª cuerda) por el segundo; la A en el 2.º traste/3.ª cuerda por el tercer dedo, y el 1.ᵉʳ traste/2.ª cuerda C por el índice.

Cuando se incorpora al acorde «directo» mayor, la menor 7.ª crea una armonía conocida como **7.ª dominante**, denominada así porque se usa ampliamente como una alternativa colorida al acorde dominante estándar tanto en las claves mayores como en las menores.

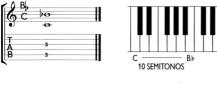

7.ª menor

Las «Dom 7.ª» pueden impulsar un acorde o melodía hacia dentro y hacia sus asociadas tónicas, y este efecto consigue que sean importantes «bloques de construcción» en casi todos los estilos de jazz, pop y música clásica.

Para lograr sentir estos acordes cruciales, intente las progresiones de 1.ª tónica dominante que aparecen abajo. Como la «7 dom» difiere de las dominantes regulares solo por una nota, verá que su formas son fácilmente dominables; en el directorio de acordes al final del libro encontrará diagramas de digitación más detallados, para que pueda practicar con ellos.

«Dom 7» y el blues

La 7.ª dominante tiene muchas otras posibilidades y aplicaciones. Su tendencia a resolver el acorde una quinta por debajo significa que puede actuar como un sendero musical, dirigiendo una pieza hacia zonas lejanas retiradas de su nota original. Si, por ejemplo, tocó la progresión de C7 a F al principio de su ejemplo anterior, pero eligió continuar vía F7 a B♭7, y después a E♭7, y A♭7, y así sucesivamente, pasará finalmente por las séptimas dominantes para todas las 12 notas de la escala cromática, y después de encontrar D7 y G7, vuelva de nuevo a C7 ¡donde empezó! (Esto se denomina «ciclo de quintas» y es una de las características que sostiene el sistema de claves y armonías usado en la música occidental.)

Pero de más interés ahora mismo para la mayoría de los guitarristas es el papel de la séptima dominante en el blues y el jazz. El intervalo bajado de tono en su corazón es el elemento vital de estos géneros, y de los estilos de la corriente principal del pop que se nutren de ellos. En varios ejercicios situados más adelante saboreamos su gusto distintivo, que el alumno ya debe empezar a intuir.

ABAJO. Los diagramas de acorde usan aquí las abreviaturas estándar (C7 y D7, etc.) para las séptimas dominantes. La mayoría de las formas de «Dom 7» se derivan de aquellas para los acordes mayores estándar. La foto muestra la digitación para C7.

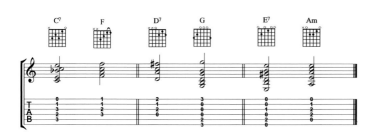

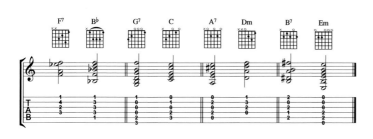

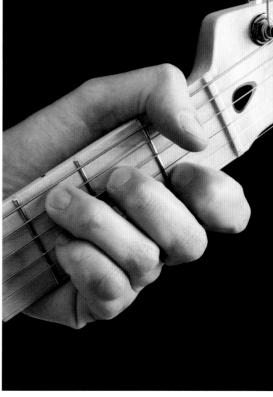

Ejercicios usando 6.ᵃˢ y 7.ᵃˢ

El primero de nuestros cuatro ejercicios breves que se muestran a continuación es en D mayor, y usa un par de acordes (D sus 2 y D sus 4) que ya han aparecido. También presenta Em 7 y A7 (los acordes de la 7.ᵃ dominante de los grados segundo y quinto de D mayor), e incluye una armonía desconocida para usted (Em add 9) en esta tercera.

Este acorde es casi idéntico a «sus 2», ya que ambos representan una F# –la segunda o (contando más allá de la octava) o novena de una escala E menor–. La diferencia entre ellas es sutil pero importante: una «sus 2» sustituye temporalmente su tercera (G, en este caso) con la nota suspendida (F#), mientras que un acorde «add9» incluye tanto la 9.ᵃ (F#) como la tercera.

Nuestro segundo ejercicio: una pieza de A mayor está diseñada teniendo en cuenta el soporte añadido de una guitarra eléctrica.

El ejercicio tercero, en E mayor, demuestra cómo las 7.ᵃˢ dominantes pueden generar un círculo de acordes, llevando al oyente al equivalente musical de una «ruta escénica» de B (la dominante de E), vía G#, C# menor, F# menor y B (otra vez) a la tónica. Usted ya conocerá algunas de las digitaciones usadas aquí; una nueva forma, F#m 7, en el compás 5, es producida haciendo el barré en las cuatro cuerdas superiores en el 2.º traste para formar las notas E, A, C# y F#.

IZQUIERDA. *El acorde al final del compás 2 que aparece aquí es una armonía simple con un nombre complicado: D 7.ᵃ mayor con 9.ᵃ añadida.

Ejercicio 1

Descansa sobre todo en la 2.ᵃ, 3.ᵃ y 4.ᵃ cuerdas, usando una sucesión de 6.ᵃ, 7.ᵃ mayor y acordes menores, y (en los compases 3 y 4) un motivo simple de dos cuerdas que usted puede tocar deslizando el segundo y tercer dedos en el diapasón, tal como se indica en la tablatura.

ABAJO. G#, C# y E: las notas para la parcial «A mayor 7» en el compas 1 del ejercicio 2 (falta la raíz A, pero está implícita en el contexto del acorde), se tocan en 4.ᵃ, 3.ᵃ y 2.ᵃ cuerdas.

DERECHA. Mantenga los acordes A6 y C#m en este ejercicio con el segundo dedo en la 4.ᵃ cuerda, el dedo índice en la 3.ᵃ cuerda, y el tercer dedo en la 2.ᵃ cuerda. Para la primera A mayor 7 (mostrada en la fotografía de arriba) y los acordes Bm use (en orden ascendente desde la 4.ᵃ y 2.ᵃ cuerdas) el segundo dedo, tercer dedo y el índice.

Ejercicio 2

Ejercicio 3

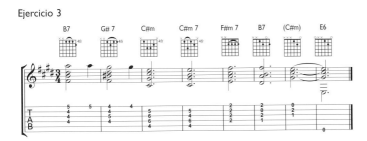

D es la «9.ª» nota en la escala de C. Para el acorde del compás 4, deslice la forma C7 hasta el 1.ᵉʳ traste, y los últimos tres compases no deberían causarle muchas dificultades. ¡Buena suerte!

No se alarme por las líneas auxiliares de las primeras tres barras del ejercicio 4, o por el hecho de que, aunque la clave de firma revela que está en F mayor, y ¡parece que empieza en G o C!, las digitaciones que requiere son razonablemente sencillas y, en las dos primeras barras, solo los pares más altos de notas necesitan realmente ser sujetados al traste: la G y D menores son cuerdas abiertas. La forma del acorde básico requerida para la barra 3 es una C7 abreviada (véase el diagrama y la foto), a la que, por los dos primeros pulsos, usted añade una D de la primera cuerda con el tercer dedo (haciéndola, temporalmente, C9, denominada así usando la misma lógica que aplicamos antes al denominar la armonía «Em add 9»);

ABAJO. Recuerde que los puntos de digitación entre paréntesis en los diagramas de acordes indican barrés, y que los números «fr» en las rejillas corresponden a los números de trastes.

Ejercicio 4

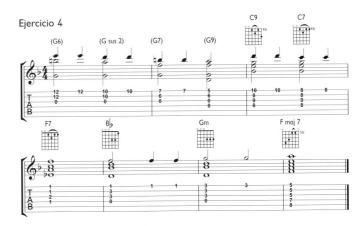

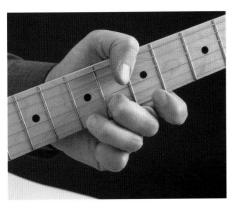

ARRIBA A LA IZQUIERDA. El inicio del ejercicio 4, con la 2.ª y 1.ª cuerdas sujetas al traste en la 12.ª posición para producir B y E, mientras que la 3.ª cuerda se toca abierta.

IZQUIERDA. El primer acorde del compás 2 en el ejercicio 4; observe la posición del dedo índice, que se está preparando para sujetar A en el 5.º traste/1.ª cuerda.

ARRIBA. La «C9» con pequeño barré en el compás 3 del ejercicio 4; retirando el tercer dedo del 10.º traste / 1.ª cuerda convertirá el acorde en una sencilla C7.

Escalas y nuevos acordes en claves menores

Los términos que hemos usado para describir las notas y acordes primarios de las escalas mayores también se aplican a sus homólogas menores, aunque el asunto se complica un tanto con la 6.ª y 7.ª notas bajadas y subidas de tono de la melódica menor.

Nuestro primer diagrama muestra todas las posibles notas de la A menor melódica y la escala armónica menor, con los nombres y números debajo de ellas. La estructura de las escalas y la nomenclatura de sus diversos pasos es, por supuesto, la misma para todas las menores.

A es, obviamente, la nota tónica de A menor; su subdominante (4.ª) y dominante (5.ª) son, respectivamente, D y E. Y su 3.ª (mediante), C, es la clave para su relativa

Tonica	Mediante	Dominante		(7.ª bajada de tono)	Tónica
Supertónica	Subdominante		Submediante	Nota principal	

mayor, C mayor. Aquí están ahora los acordes principales (un «truco de los tres acordes más uno» extendido) para A menor.

Los acordes D menor y D mayor mostrados arriba son ambos «legítimas» subdomi-

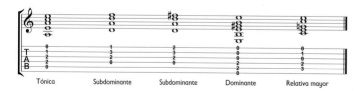

Tónica	Subdominante	Subdominante	Dominante	Relativa mayor

nantes, ya que sus respectivas 3.ªˢ menor y mayor, F y F#, pueden encontrarse en la escala menor melódica. El acorde dominante es E mayor, cuya G# viene del séptimo grado de la armónica o menor melódica ascenden-

ABAJO. Las guitarras acústicas y los acordes menores pueden formar una combinación que gusta, especialmente cuando toque baladas y canciones folk.

te. Pero, como ya hemos visto, la G becuadro en el acorde de C mayor (mayor relativa) también es «nativa» a la escala (oficialmente, es el 7.º grado descendente de la escala menor).

En el mundo de la música práctica, fuera de las escalas y la teoría, hallará que los compositores y autores de canciones eligen notas subidas o bajadas de tono, según les venga mejor, y, como se ha mencionado antes, debe estar preparado para tocar cualquiera de estos intervalos y armonías siempre que interprete una pieza en clave menor.

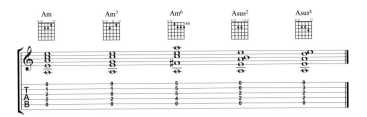

También comprenderá pronto que las versiones menores de las 7.ªs y las 6.ªs, que se construyen idénticamente que sus equivalentes mayores, están preparadas en el diagrama de la derecha.

El acorde 7.ª dominante (usando el 7.º grado bajado de tono de la escala como su «ingrediente activo») es solo tan crucial en las claves menores como lo es en las mayores, aunque la «menor mayor 7.ª» con una 7.ª nota subida de tono, no se oye mucho y no aparece aquí. «6 en A menor» y otras armonías construidas de forma parecida a la 6.ª siempre representan una 6.ª subida de tono (F# en el ejemplo representado), mientras que los acordes «sus 2» y «sus 4» que también se representan aquí, no son técnicamente ni menor ni mayor, pues no contienen ninguna tercera.

ABAJO. Ejemplo visual de la digitación del acorde F subido de tono menor con un pequeño barré.

Ejercicios en clave menor

Como los ejercicios en clave mayor que hemos representado antes,
los cuatro breves ejemplos musicales de abajo le darán la
oportunidad de intentar, en varias claves y contextos armónicos,
algunos de los acordes que acabamos de describir.

La primera de nuestras piezas está en E menor y usa solo las tres posiciones más bajas del traste; sin embargo, presenta varios desafíos técnicos. En el compás de apertura, que consiste en una progresión A menor/A min6/A men6, el dedo meñique debe llegar a la F# y a la G en la cuerda superior sin molestar a los otros dedos que mantienen las notas inferiores que no cambian, mientras debajo de los acordes suspendidos en los compases 2 y 3 hay bajas sostenidas que tiene que evitar estropear con sus dedos o su púa. La penúltima barra tiene una armonía C mayor 7 que se resuelve en la relativa de E menor, G.

Los acordes del ejercicio 2 son escasos y ocasionalmente (hablando teóricamente) in-

Ejercicio 1

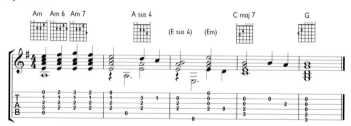

completos, pues faltan terceras y bajos «propiamente dichos». No obstante, las partes de la guitarra de esta forma podrían ser un impacto potente, sobre todo si se toca agresivamente, con un tono brillante y tenso. Para conseguir el efecto deseado, elija la pastilla posterior si está usando una eléctrica; en una acústica, toque las cuerdas un poco más hacia el puente. El ejercicio está en G menor y requiere pequeños barrés para su raíz y acordes mayores de A.

El ejercicio 3 es más lento, y en la marca de tiempo no conocida aún de 2/2 (dos blan-

Derecha. El tercer acorde en la misma barra del ejercicio 1. Aquí, el dedo meñique se ha movido hacia arriba a G (3.er acorde/1.ª cuerda) y el resultado es «Am 7».

Ejercicio 2

Abajo. Esta es la apertura en forma «D sus 2» del ejercicio 3. El tercer dedo toca D (7.° traste/tercera cuerda), y el índice hace un barré en la 2.ª y 1.ª cuerdas parra producir E y A. El bajo D lo da la 4.ª cuerda abierta. Mueva los dedos hacia abajo dos trastes para tocar las notas en el compás 2.

cas por barra). Las notas en la primera barra se «añaden» a un acorde de «D sus 2» producida por la forma de la mano izquierda que puede verse en el diagrama y la foto, acompañada por un bajo D de la 4.ª cuerda abierta. Al inicio del compás 2, esta forma se desliza dos trastes hacia abajo para crear una armonía «G sus 4».

La segunda y cuarta corcheas del compás 3 son *pull-offs* parecidos a los que ha encontrado en un ejercicio previo; en vez de tocarlos con la púa, suénelos levantando el dedo de la mano izquierda fuera de las notas precedentes un poco más fuerte de lo normal.

Ejercicio 3

Nuestro ejercicio final empieza de manera fácil y se va complicando progresivamente. Está en B menor e incorpora la raíz, y las formas F# menor, E menor y D antes de llegar a un sonido a tope, la cuarta cuerda añadió el acorde 9.° en el compás 5. Una alternativa conveniente para tratar de sujetar al traste la baja F# en el compás 8 con el dedo índice sería sujetar esta nota con el pulgar de la mano izquierda, aunque este método útil de tocar notas bajas pueda horrorizar a los guitarristas clásicos y a sus profesores.

Arriba. Los *pull-offs* (ligados descendentes) en el compás 3 (ver texto principal) son tocados con el tercer dedo, que sujeta el traste y luego suelta las corcheas A y E ligadas en (respectivamente) la 1.ª y la 2.ª cuerdas, mientras el dedo índice mantiene su barré en el 3.er traste.

Ejercicio 4

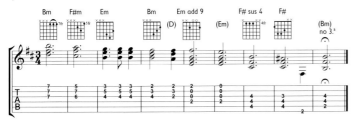

Arriba. El segundo, tercero y cuarto dedos se alinean para tocar el acorde en el compás 7 del ejercicio 4.

Lo que ha aprendido

En este capítulo nos hemos centrado en las tres escalas más importantes de la música popular y clásica: la mayor, y las menores melódica y armónica.

Muchos de los modelos de digitación que ha aprendido para realizarlas pueden usarse en gran variedad de posiciones del mástil para producir escalas mayores y menores en diferentes claves.

El método «un traste por dedo» en el que se «asignan» los dedos de la mano izquierda a todas las notas en una posición dada del traste, es la base para tocar la mayoría de las escalas y melodías en la guitarra, aunque a veces es necesario «hacer trampas» alargando dos o más trastes para llegar a ciertas notas.

Las notas bajas (raíz) de las armonías que comprenden el «truco de las tres cuerdas» vienen del primero (tónica), cuarto (subdominante) y quinto (dominante) grados de la escala mayor o menor.

El acorde relativo menor de la escala mayor se forma desde el sexto grado (superdominante).

El acorde relativo mayor de la escala menor se forma desde el tercer grado (mediante).

Añadiendo o sustituyendo notas, usted puede crear acordes suspendido, 7.ª mayor y 7.ª dominante a partir de mayores y menores básicas.

El «blues de 12 compases»

El blues ha sido descrito como una «silla» metafórica en la que se apoyan casi todos los compositores y cantautores del pop y del rock, y su influencia está inextricablemente ligada a la de la guitarra. W. C. Handy (1873-1958), el compositor y transcriptor afroamericano conocido como el «Padre del blues», fue también guitarrista. El bajo coste y el fácil transporte del instrumento hacían de él la opción natural para los hombres itinerantes del blues en los años que precedieron a la Segunda Guerra Mundial, como Robert Johnson (1911-1938) y Bukka White (1906-1977), quienes sentaron los pilares de gran parte del desarrollo posterior de esta música. Figuras posteriores como Muddy Waters (1915-1983) y el sobrino de Bukka White, B. B. King (nacido en 1925), siguieron inspirando a numerosos instrumentistas de rock con su poderoso e innovador uso de la guitarra eléctrica y, como resultado, las armonías derivadas del blues, los «licks» y «riffs» se han convertido en una parte ineludible de la corriente principal de la música de hoy. Este capítulo proporciona una introducción elemental a los acordes básicos y patrones de escala de este género musical.

Los 12 compases y el «shuffle»

Este libro está concebido para enseñarle cómo tocar la guitarra, no qué tocar, pero vamos a hacer una excepción explorando las nociones básicas del blues, un idioma que seguro se va a encontrar como guitarrista, ya sea en sus versiones «puras» acústica y eléctrica, o bien en el jazz, rock y pop, todas ellas llenas de préstamos de sus secuencias de acordes y estilos singulares de solos.

La estructura más simple y más usada comúnmente en el blues es la llamada «blues de 12 compases o barras» que empieza con cuatro barras de un acorde tónico, seguido de dos barras de una subdominante y un retorno a la tónica para dos barras posteriores. Después se desplaza a la dominante para una barra única, baja a la subdominante para otra barra y concluye con una barra de tónica y dominante, antes de comenzar otra vez. Pero esta explicación tan simple no comienza haciendo justicia a las casi infinitas posibilidades de este ciclo de armonías aparentemente rudimentario. Los 12 compases es un camaleón musical, que puede transformarse mediante el uso imaginativo del ritmo, la melodía y los acordes adicionales. Los 12 compases han sentado la base para miles de canciones, desde *In the mood* de Glenn Miller a *Johnny B. Goode* de Chuck Berry y, pese a haber estado ahí la mayor parte del siglo XX, sigue siendo una inspiración vital para incontables artistas.

Preparémonos para tocar el blues dominando el *shuffle*, uno de los aspectos esenciales del género, y aprenderemos cómo embellecer sus acordes con algunas 6.ᵃˢ y 7.ᵃˢ dominantes. Aquí, primero, hay una versión de «dos cuerdas» acortada y levemente simplificada del «shuffle». (La notación aparece arriba a la derecha.) Mientras que este ritmo apuntillado es bastante fácil de gestionar, solo es una mera aproximación al *shuffle* «real» que subdivide cada pulso de negra en «tres» usando lo que los músicos llaman tre-

ARRIBA. Las C# y D naturales en las dos primeras barras de este ejercicio se tocan con el segundo y tercer dedos en la 2.ª cuerda; todas las B y E son, por supuesto, abiertas. En los compases 3 y 4, sujete las C# (2.º traste/2.ª cuerda) con el segundo dedo, y sujete las F# y las G en la 1.ª cuerda con (respectivamente) el tercer y cuarto dedos.

sillos (***triplets***): estos se destacan con un paréntesis marcado «3» sobre las notas (véase la página siguiente). Para tocarlos, intente contar «**1**-2-3 **2**-2-3 **3**-2-3 **4**-2-3» (el primer número de cada grupo debe caer en los pulsos de negra sucesivos) y coloque las notas iniciales tripleteadas en estos pulsos principales y la segunda nota en cada par en «-3».

La subdivisión del tresillo (*triplet*) hace que la segunda nota de cada grupo sea levemente más larga de lo que lo que sería el pulso de una corchea «real», creando un sentido rítmico ligeramente más pesado y que usted seguro reconoce en las grabaciones de rock y blues. Inténtelo en el próximo ejercicio, que contiene algunos acordes más densos que el precedente (véanse los diagramas para sus digitaciones); entonces, estará preparado para una secuencia de «12 compases» de verdad.

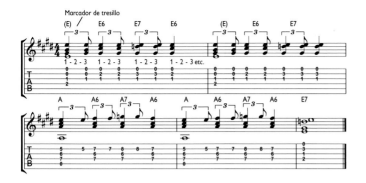

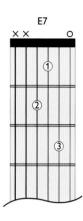

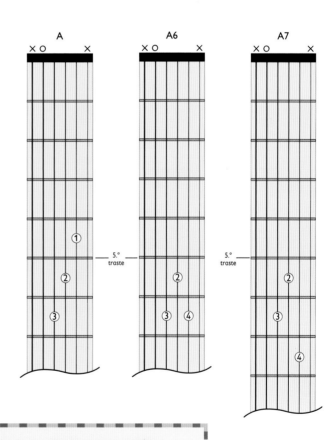

TRES GIGANTES DE LA GUITARRA DEL BLUES

Para apreciar la amplitud y el poder emocional del blues, compruebe la música de estos tres grandes de todos los tiempos:

B.B. King (nacido en 1925)

King se labró su reputación en Memphis, y después creó un movimiento distintivo de blues que tuvo muchos seguidores; tocó en todo el mundo con su banda y también colaboró con artistas de rock de primera línea, como Eric Clapton y Van Morrison. Su intensa, pero bella y controlada voz, así como su obra de solo de guitarra pueden escucharse en su momento álgido en el álbum *Live at the Regal*, grabado en 1964.

John Lee Hooker (c 1919-2001)

Las canciones de Hooker, a menudo basadas en acordes repetidos y *riffs*, más que en las estructuras estándares de 12 compases, tienen una calidad elemental e hipnótica que le hizo ganarse el apodo «The Boogie Man». Figura de culto durante gran parte de su dilatada carrera, recibió un reconocimiento más amplio aún a los setenta y ochenta años gracias a ganar varios premios Grammy con álbumes como *The Healer* (1989) y *Don't look back* (1997).

Stevie Ray Vaughan (1954-1990)

Su estilo potente y fuertemente influido por el rock le hizo conseguir audiencias masivas y grandes premios y discos de oro. Después de saltar a escena con *Texas Flood* (1983), la banda que dirigía, Double Trouble, grabó e hizo giras sin descanso durante el resto de la década. Su carrera fue truncada en seco por la muerte trágica en un accidente de helicóptero en agosto de 1990.

Su primer 12 compases

Pasajes como el del último ejercicio pueden pasar ya por un ritmo de blues, pero resultan muy recargados en algunos contextos. El 12 compases que va a intentar ahora tiene un toque más tranquilo, aunque mantiene un insistente pulso de «shuffle». Seguramente querrá empezar tocándolo bastante despacio, pero también funciona a velocidades más altas y es igualmente apropiado para guitarra acústica o guitarra eléctrica.

Al principio, la notación para este blues con sus tresillos y notas ligadas, puede ser algo intimidatorio, pero la pieza en sí es bastante sencilla. Como siempre, practique muy despacio al principio hasta dominarla. Como está en A mayor, puede hacer un uso amplio de las tres cuerdas abiertas y bajas del instrumento, y la mayoría de las notas por encima de estas se producen usando sencillas variantes de formas familiares y en la posición de la cejilla. Los acordes para las dos primeras barras cambian entre las digitaciones de A7 y E menor (véase la notación y las fotos), seguidas, en los compases 3 y 4, por un pequeño barré de A7 que la convierte en «A6» (A mayor con una F# encima) cuando suelta su segundo dedo de G en el 3.er traste, 1.ª cuerda.

Estas armonías nos traen a la parte «subdominante» de los 12 compases. El acorde básico aquí es D7, con la cuerda superior dando otra vez una pequeña variedad al llevarnos a «D7 sus 2» y «D7 sus 4», ambas resolviendo rápidamente de vuelta a D7.

Por su parte, en el compás 7, volvemos a la tónica, con la forma «raíz» A7 un poco más alegre por el cambio momentáneo a «Am 7», creada por la C becuadro tocada en el 1.er traste/2.ª cuerda.

Sonar los cambios

Después de los compases 9 y 10, que representan (respectivamente) las dos formas E7/E6 y D7/D7 sus, nos aproximamos ahora a los últimos compases del blues, la sección conocida como *turnaround* (dar la

vuelta), que lleva o bien a otro ciclo de 12 compases, o a la conclusión de la pieza musical. Es costumbre, en este punto, introducir algunos acordes alternativos en la secuencia regular tónica/dominante, y por tanto, el compás 11 incluye una armonía en D mayor/D menor, pues nos lleva al final del número.

ARRIBA. La transición de E menor (con una A baja abierta) de vuelta a A7 en los compases 1 y 2 se activa mediante el tercer dedo, que convierte la 2.ª cuerda abierta (B) en una C# en el 2.° traste.

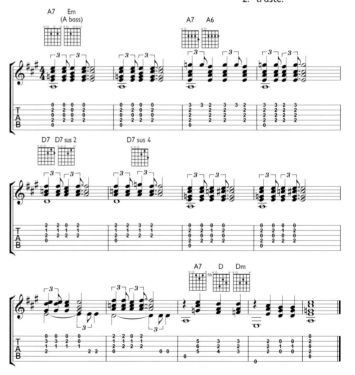

ARRIBA. Las formas menos familiares de este ejercicio tienen diagramas sobre ellas para que sean comprendidas; véanse las fotografías de arriba y al lado respecto a las digitaciones necesarias para tocar los acordes marcados en los compases 1, 3 y 11.

DERECHA. Otro cambio de acorde de «un dedo»: este barré del 2.º traste, con una G sujeta por el segundo dedo en el 3.er traste, es igual a A7...

DERECHA. ... pero sin la G, el resultado es A6.

ARRIBA. El acorde D menor en el último pulso en el compás 11 del ejercicio 1: la 6.ª y 1.ª cuerdas no se tocan aquí.

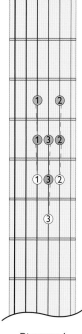

Diagrama 1

Diagrama 2

Los intérpretes de blues experimentados suelen introducir generalmente algo más elaborado y aventurero en el *turnaround* (los últimos dos compases), como las progresiones en una conclusión alternativa a nuestro blues que aparece abajo. Sus tresillos de corchea y acorde final contienen nuevas armonías que veremos detalladamente en la página siguiente.

ABAJO. El final «sustitutivo» puede usarse para reemplazar los compases 9-12 de arriba. Los diagramas adyacentes resultan de gran ayuda con su secuencia de *turnaround*.

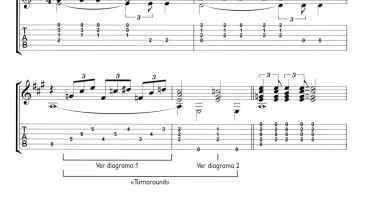

Ver diagrama 1 | Ver diagrama 2

«Turnaround»

ARRIBA. Siga estos modelos descendentes con las colocaciones del primer, segundo y tercer dedos (empezando en el 5.º y 6.º trastes, y después deslizándolos al 4.º/5.º y al 3.er/4.º trastes, tal como aparece) para tocar las corcheas del tresillo en el compás 3 del segundo ejemplo.

ARRIBA. Cuando toque este acorde nuevo, representado en el compás 3 del ejemplo 2, no importa si el índice toca la 1.ª cuerda cuando haga este pequeño barré en el 1.er traste/2.ª y 3.ª cuerdas, siempre que ¡la cuerda no suene!

Formas disminuidas y aumentadas en el blues

Echemos un vistazo de cerca a los acordes rotos (este término se refiere a cualquier armonía cuyas notas se suenan individualmente, de la más grave a la más aguda, o viceversa, en vez de ser rasgueadas) en la vuelta revisada de nuestro blues.

cubierta originalmente por algún intérprete de blues desconocido.

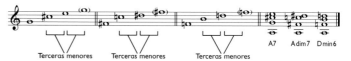

El exceso de accidentales que rodean estas nueve notas hace que el pasaje parezca extremadamente complicado, pero el primer tresillo (G, C#, E) no es nada más que una «A7» sin raíz; la digitación que usamos para ella durante el ejercicio en las últimas dos páginas se muestra otra vez en la tablatura de arriba y en la fotografía de abajo. Como hemos descubierto antes, el segundo y tercero juegos de notas (F#, C becuadro, D#, F becuadro, B y D becuadro) son semitonos sucesivos debajo del tresillo de apertura, y puede resolverse de forma sencilla cambiando la forma ilustrada hacia abajo, que es probablemente como la progresión fue des-

Si nos fijamos un poco más en las notas y transportamos un par de ellas una octava arriba (como en la notación de encima), podrá ver que hay **terceras menores** entre ellas, mientras que todas las demás armonías regulares que ha aprendido hasta ahora se habían basado en combinaciones de intervalos mayores y menores. Los acordes formados totalmente por terceras menores se conocen como **acordes disminuidos**. La intrigante mezcla de notas que contienen significa que no «pertenecen» a ninguna clave, y esto contribuye al efecto ambiguo, levemente desestabilizador, que pueden crear en el blues y otros géneros.

Nuestra vuelta (*turnaround*) revisada también presentaba esta curiosa armonía (derecha). Abarcando la E, G# y C becuadro,

es un llamado «**acorde aumentado**», construido enteramente de «terceras mayores» y, como sus parientes disminuidos, tiene una agradable cualidad «extraña». Funciona especialmente bien como sustituto de una dominante regular al final del ciclo del blues.

En la página siguiente hay un blues de E mayor con un acorde aumentado en su pe-

IZQUIERDA. El acorde disminuido G/C#/E se toca en la 4.ª, 3.ª y 2.ª cuerdas en (respectivamente) el 5.º, 6.º y 5.º trastes.

núltimo compás, una vuelta (*turnaround*) que usa intervalos disminuidos. Puede averiguar más sobre los «disminuidos» y los «aumentados» en el panel de características adyacente.

ARRIBA. Estos 12 compases usan una versión expandida del *lick* del blues que ya conoce. En el compás 11, toque G#B y G becuadro/B♭ con su primer y tercer dedos, como se muestra en la fotografía; para el acorde final de este compás, y los primeros dos acordes del compás 12, use el segundo dedo para las notas de la 5.ª cuerda.

ARRIBA. Compás 11, tercer pulso: el segundo dedo y el índice sujetan la G becuadro (5.º traste/4.ª cuerda) y B♭ (3.er traste/3.ª cuerda).

Formas disminuidas

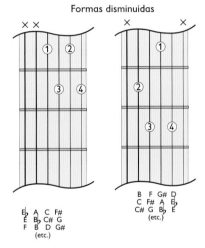

E♭ A C F#
E B♭ C# G
F B D G#
(etc.)

B F G# D
C F# A E♭
C# G B♭ E
(etc.)

Formas aumentadas

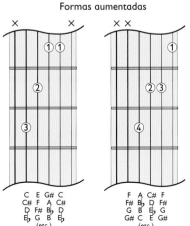

C E G# C
C# F A C#
D F# A# D
E♭ G B E♭
(etc.)

F A C# F
F# B♭ D F#
G B E♭ G
G# C E G#
(etc.)

FORMAS DISMINUIDAS Y AUMENTADAS EN TODAS LAS CLAVES

Con solo 12 semitonos a nuestra disposición, únicamente es posible producir tres juegos de acordes de cuatro notas disminuidos (estrictamente hablando, estos se conocen como séptimas disminuidas) antes de que nos quedemos sin tonos disponibles:

El acorde disminuido «1» comprende A, C, E♭ y F#
El acorde disminuido «2» comprende B♭, C#, E y G
El acorde disminuido «3» comprende B, D, F y G#.

Cada acorde es la «7.ª disminuida» para las cuatro claves que llevan los nombres de sus notas, y las mismas formas de digitación, cambiadas hacia arriba y abajo del mástil, según sea necesario, se usan para todas ellas. Estas se muestran aquí.

Los acordes aumentados funcionan de forma parecida, pero como es imposible combinar más de tres intervalos de tercera mayor en un solo acorde (solo otras notas serían «dobles» de las ya incluidas), tienen cuatro permutaciones posibles:

El acorde aumentado «1» comprende A, C# y F
El acorde aumentado «2» comprende B♭, D y F#
El acorde aumentado «3» comprende B, E♭ y G
El acorde aumentado «4» comprende C, E y G#

Notas de blues y los doblados

En las páginas anteriores hemos presentado ejercicios de blues en claves mayores regulares, pero hay una leve e importante discrepancia entre algunos de los grados «estándar» para la escala mayor y las notas usadas a menudo por los artistas de blues. Examinemos estas tensiones musicales comparando una mayor convencional con una típica escala de blues. Los ejemplos comienzan y terminan aquí en D. Por supuesto, sus intervalos serían iguales en todas las demás claves.

✳ = notas de blues

Aunque esta escala de blues contiene solo cinco pasos (sin contar la octava final D), la conclusión no es que los números de blues solo debieran usar estos tonos, sino que lo que la escala da realmente es una lista de «ingredientes activos» que aporta a esta música su sabor especial. Las más importantes entre estas son las llamadas «notas de blues», la F becuadro y la C becuadro, que se entonan un semitono más bajas que sus equivalentes (F#, C#) en el 3.er y 7.º grados de la mayor. Estos tonos modificados proceden originalmente de las canciones y cantos llevados por los antepasados de los primeros intérpretes de blues desde África, es decir, música basada en escalas no occidentales, cuyas características se combinaron después con elementos de la armonía de estilo europeo para crear el blues y el jazz.

En la guitarra, las «notas de blues» puede mejorarse «**doblando**» o *bends* (subiendo y después bajando) sus tonos, una técnica

que imita los estilos de cantar del blues, con sus descensos y caídas. Es más fácil doblar las cuerdas en las posiciones central y superior del mástil usando el tercer dedo, preferiblemente apoyado por el dedo índice y el corazón. Pero dependiendo de la acción de su instrumento y el tipo, recubrimiento y grosor de sus cuerdas, puede que logre manejar los doblados con otros dígitos. (Las cuerdas de calibre **ligero** o **ultraligero** son las más fáciles para los dedos, aunque también existen los juegos **medios** y **pesados,** además de configuraciones personalizadas.)

Una cuestión de grado

En el ejercicio sencillo de doblado que aparece en la página siguiente necesita sacar las notas de blues indicadas (F en la 2.ª cuerda, y C en la 3.ª) lo suficiente para producir un doblado de menos de un semitono en sus tonos. Solo su oído puede determinar exactamente lo amplios que debieran ser los doblados; use el pulso de la D abierta como referencia para juzgar su efectividad.

Tras unos minutos de intensos doblados, verá que su melodía empeora. Compruébelo antes de intentar este *lick* más avanzado, que está en A menor y supone cambiar el tono de la G en la 2.ª cuerda y la C en la 3.ª. Una vez que haya logrado el sentimiento de estos doblados, intente tocar el pasaje un poco más rápido y de forma más estridente.

IZQUIERDA. Los doblados se plasman en la notación usando las líneas curvas que aparecen detrás de las F y las C. La marca equivalente en la tablatura en una ligadura hacia arriba, acompañada a veces por un símbolo de «fracción» que muestra la anchura recomendada del doblado (en este caso un cuarto de tono, es decir, medio semitono).

ARRIBA. Doblando la 2.ª cuerda F en el 6.° traste; el dedo índice y el segundo dedo asumen algo del esfuerzo, mientras el tercer dedo empuja hacia arriba.

ARRIBA A LA DERECHA. Esta es la otra nota doblada en el primer ejercicio: C en el 5.° traste/3.ª cuerda.

ABAJO A LA DERECHA. El 8.° traste G en la 2.ª cuerda obtiene «un caso de depresión» en el ejercicio 2.

Otra nota triste y algunos acordes expandidos

Experimentemos ahora con una nota adicional de blues. La 4.º grado (equivalente a la 5.ª en una mayor) de la escala de blues de cinco notas (o pentatónica) se baja a menudo un semitono para producir «riffs» y «licks» expresivos y llenos de colorido que suenan especialmente bien en la guitarra. He aquí la escala con su paso extra, seguido de un par de ejercicios cortos que demuestran cómo puede usarse el «nuevo» intervalo.

IZQUIERDA. Esta escala de blues se muestra en D, pero sus intervalos tienen la misma función y efecto en otras claves.

✳ = notas de blues

Ejercicio 1   Ejercicio 2

Como hemos observado, el blues es una amalgama de escalas procedentes de África e inflexiones e influencias norteamericanas que combinan un sistema «ancestral» de notas tristes y doblados de tono con acordes más complejos tomados originalmente de la música clásica occidental. La más importante de estas, la 7.ª dominante, es crucial para el blues porque su intervalo bajado de tono en su corazón también se da

ABAJO. La «nota triste» E♭ del ejercicio 2.

ARRIBA. Las notas tresillo del primer ejercicio caerán fácilmente bajo la mano izquierda si las toca en la tercera posición (dedo índice en el 3.er traste, tercer dedo en el 5.º traste, 4.º dedo en el 6.º traste; no necesitará el segundo dedo). En el ejercicio 2, doble la 2.ª cuerda E con el tercer dedo (véase fotografía) y sujete la D descendente y la C con el segundo dedo y el índice.

en las escalas pentatónicas que hemos investigado, y algunas armonías relacionadas «dom7» también juegan un importante papel en la música. Dos de las más útiles de ellas se explican a continuación.

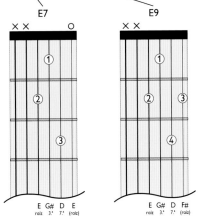

Hemos explorado ya la diferencia entre la 3.ª mayor en la mayor y su «nota triste» equivalente. Nuestro nuevo acorde, el llamado «aumentado» o «+9» incorpora ambos intervalos. Su prefijo «aumentado» nos dice que subamos de tono mediante un semitono respecto de la numeración en la escala; así en «E7 + 9», súbalo a un G natural (+ 9) y añádaselo a «dom 7» como aparece en la imagen. Intente la «E7» de cuatro cuerdas y después coloque los dedos como se muestra, sustituyendo la nota de arriba en cuerda abierta por una F#. El resultado,

conocido como «E dominante 9» mantiene la vital 7.ª bajada de tono, pero la mezcla con el segundo grado de la escala mayor generando un sofisticado sonido con sentimiento de jazz. También contiene un delicioso «crunch» (resultado de un choque doble entre la raíz y la 7.ª, y la raíz y la 9.ª) y funciona bien como sustituto de uno o más de los acordes primarios del blues de 12 compases. Este diagrama muestra cómo

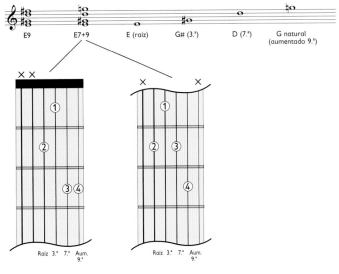

ARRIBA A LA IZQUIERDA Y ARRIBA A LA DERECHA. Como en la «universal» dominante 9.ª las digitaciones aparecidas antes, esta «7 + 9-» hace que las cuerdas constituyan notas en el mismo orden y se pueden aplicar en cualquier traste.

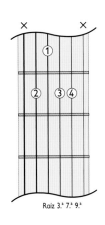

FONDO A LA IZQUIERDA E IZQUIERDA. Dos formas «Dom 9» que dan idéntico temple del acorde y pueden moverse libremente arriba y abajo del mástil.

tocarlo en varios tonos y posiciones del mástil.

Más allá de la 7.ª y la 9.ª

La cuerda dominante 7.ª puede extenderse más allá («dom 13» y otras formas más avanzadas son posibles), pero, por el momento, vamos a hacer un alto en el proceso y nos centraremos en aplicar lo que acabamos de aprender a la «vida real» del blues a través de los ejemplos mostrados en las dos páginas siguientes.

Tres ejercicios de blues

Nuestro primer ejercicio supone doblar dos notas tristes, una de las cuales (la E♭ en los compases uno y tres) está arriba del todo en el mástil, en la 1.ª cuerda. Aquí no hay suficiente espacio en el diapasón para permitirle que tire de la cuerda hacia abajo, por lo que tendrá que empujarla en la dirección opuesta, tal como se muestra en la fotografía.

Tenga cuidado, especialmente en una guitarra eléctrica con acción baja, de no producir ruidos indeseables de las cuerdas contiguas cuando haga esto. El cambio de tono en la segunda E♭ debe ser levemente mayor que en las otras notas dobladas; trate de levantarla casi al nivel de la siguiente E becuadro.

El ejercicio 2 puede parecer relativamente fácil, pues no contiene tresillos o ritmos sincopados. Pero tocarlo en un tiempo limi-

nueva forma: la D7 con una B («D7 + 5» en lenguaje de guitarra) en el segundo pulso del compás 9. La línea vertical ondulada al final de G7 es una marca de **arpegio**: este término musical italiano es una instrucción para tocar las notas indicadas una detrás de otra, de abajo arriba.

La E mayor final sustituye los acordes «7+9» (explicados en las dos páginas anteriores) para algunas armonías normales de 12 compases, y su vuelta (*turnaround*) re-

Ejercicio 1

IZQUIERDA. Sobre las notas se muestran las digitaciones sugeridas de la mano izquierda para este ejercicio.

ABAJO. La E♭ doblada en el 11.º traste/1.ª cuerda aparece en nuestro primer ejercicio.

tado, mientras se resuelven sus numerosos cambios de acordes, puede requerir considerable práctica. Su sentimiento suave y constante llama a un tono cálido y de jazz. Para obtenerlo, los guitarristas eléctricos deberían cambiar a sus pastillas anteriores (mástil) y dejar un pequeño agudo en sus controles de tonos. Los guitarristas acústicos también pueden conseguir un efecto parecido rasgueando con suavidad, un poco más allá del puente de lo habitual.

La pieza está en G mayor, y aunque es realmente un blues de «diez compases» (con una estructura 3-compás/3-compás/4-compás, precedida por una introducción de dos compases), su secuencia de acordes sigue un modelo «tipo 12 compases». Armónicamente, hace un uso extensivo de acordes disminuidos, a menudo como un engarce entre las 7.ªs dominantes; también incluye una

Ejercicio 2

IZQUIERDA. Aunque no tiene ritmos sincopados ni tresillos, el ejercicio 2 requiere mucha práctica.

ABAJO A LA IZQUIERDA. Dando forma al principio del ejercicio 3 con una «E7+9».

presenta otra «sustitución» frecuente: un acorde de tres cuerdas C7, desde el que usted se puede deslizar fácilmente a la dominante, B7, antes de finalizar con una E7 de arpegio.

Las posiciones de los dedos para todas las formas de acordes menos familiares en los ejercicios dos y tres se muestran el diagrama sobre la notación y la tablatura.

Ejercicio 3

Lo que ha aprendido

La estructura de blues que se usa más comúnmente es la forma de «12 compases» que se ha explicado en este capítulo, aunque algunas canciones y melodías de blues tienen diversos números de compases y secuencias de compases ligeramente diferentes.

El ritmo «shuffle» del blues subdivide cada pulso en «treses» (tresillos); su sentimiento singular y cortante se crea tocando el primero y el tercero de ellos.

El blues contiene «notas azules»: 7.ªˢ, 3.ªˢ y 5.ªˢ (a veces) bajadas de tono. Estos intervalos modificados pueden mejorarse «doblando» sus tonos con los dedos de la mano izquierda.

Muchos guitarristas refuerzan su técnica de doblado («bending») usando dos o más dedos para tirar o empujar de la cuerda sujeta al traste más allá de su tono «medio».

Los instrumentistas de blues varían frecuentemente sus acordes en una secuencia de 12 compases embelleciendo su sección de «vuelta» («turnaround») con armonías modificadas, incluyendo acordes disminuidos y aumentados, y sustituyendo las séptimas dominantes (y otros acordes más complejos derivados de estos) por mayores estándar.

Técnicas más avanzadas

En los capítulos anteriores usted ha descubierto bastantes aspectos sobre las técnicas estándares de la mano izquierda y de la mano derecha que adoptan la mayoría de los instrumentistas de guitarra con cuerdas de acero. Ahora ya va siendo el momento de echar un vistazo a unas cuantas alternativas a estos métodos. Primero veremos algunos ejercicios de «fingerstyle» en los que las cuerdas se tocan directamente con los dedos pulgar, índice, corazón y anular de la mano derecha (se omite el dedo meñique, debido a su pequeño tamaño y comparativa debilidad). Vamos a experimentar con la modificación de los tonos de las afinaciones abiertas de los instrumentos, un enfoque que genera sonoridades ricas y soporte, aunque también convierte en inútiles la mayoría de las formas de acordes «regulares». Terminaremos aprendiendo cómo producir los tonos agudos conocidos como armónicos, algo más convencional pero espectacular dentro del mundo de los guitarristas.

Nociones básicas de «fingerpicking»

En las siguientes páginas vamos a dejar la púa de lado y nos centraremos en tocar «fingerstyle», un método para hacer resonar las cuerdas que agrada mucho a los guitarristas acústicos, aunque también tiene sus devotos entre los guitarristas eléctricos.

ABAJO-FOTOGRAFÍA 1. Longitud de las uñas de la mano derecha sugerida para tocar *fingerstyle*.

ABAJO-FOTOGRAFÍA 2. Aquí se muestra la posición básica de la mano derecha para *fingerstyle*.

Su gran ventaja es la libertad que da para tocar simultáneamente las cuerdas no contiguas; gracias a esto, quienes tocan *fingerstyle* pueden crear combinaciones elaboradas de melodías, armonías y líneas de bajo, así como desplegar cierto número de técnicas más especializadas, como los efectos de rasgueado con múltiples dedos que se usan en el flamenco. Muchos instrumentistas también encuentran más fácil generar y controlar gradaciones sutiles de tono con los dedos desnudos, aunque una noche tocando con vigor sin una púa puede costar bastantes uñas rotas.

Para minimizar tales daños, y producir un sonido *fingerstyle* tan limpio y potente como sea posible, debe recortarse las uñas (¡o dejárselas largas!) de la mano derecha, incluida la del pulgar, de modo que se extiendan un par de milímetros más que el extremo de los dedos respectivos (véase la fotografía 1). Cuando se prepare para tocar, coloque los dedos en paralelo a las cuerdas, como se muestra en la fotografía 2, con el tercer dedo cerca de la 1.ª cuerda y el segundo dedo y el índice sobre la 2.ª y 3.ª cuerdas. No vamos a usar el meñique. El pulgar tendría que poder llegar a cualquiera de las tres cuerdas de abajo. Intente hacer sonar la 6.ª cuerda abierta (E) con el pulgar en un movimiento de rasgueo hacia abajo (manteniendo quieta su muñeca) y después mueva el dedo índice hacia arriba (lejos del suelo) para tocar la 3.ª cuerda (G). Aunque las puntas de los dedos y el pulgar tocarán momentáneamente las cuerdas, las uñas deben llevarse el castigo del contacto con ellas. Esta

combinación produce una mezcla de un ataque fuerte y un timbre cálido y más suave.

Cuando estas dos notas suenen limpiamente, haga un intento con el ejercicio de la derecha, en el que participan las seis cuerdas. Mientras se acostumbra al *fingerstyle*, puede que le ayude pensar en la mano derecha como si fuera una garra, con los dedos y el pulgar convergiendo en las cuerdas según las toca. Recuerde que las notas de la 1.ª, 2.ª y 3.ª cuerdas se tocan usando el movimiento del dedo hacia arriba descrito en el último párrafo, mientras que el pulgar viaja en la dirección opuesta. Asegúrese de que todas las notas suenan igual y con pulso, y permita que las corcheas de apertura de la armonía «C mayor 7» (véase la notación) suenan manteniendo la C y la E (5.ª y 4.ª cuerdas) sujetas a lo largo del compás. ¡No rasguee ninguna de las cuerdas!

Arriba-Fotografía 3. En esta imagen, la mano derecha está sonando E menor al final de la primer compás del ejercicio.

Izquierda-Fotografía 4. Rasgueando la armonía «C mayor 7» en el compás 3.

LAS RAÍCES DEL «FINGERSTYLE»

El *fingerstyle* fue originalmente desarrollado por los guitarristas clásicos de los siglos XVII y XVIII, que tocaban instrumentos de cuerdas de tripa con la punta de sus dedos. Después, los músicos observaron que las uñas de los dedos producían un tono más nítido y potente, y que el método de «solo con las uñas» finalmente se convirtió en la norma en los círculos clásicos, en gran parte debido a su adopción por Andrés Segovia (1893-1987). Andrés Segovia fue, además, un pionero en defender y aprobar el uso de las cuerdas hechas de nailon, una alternativa con mejor sonido y más duraderas que las cuerdas de tripa. (Casi todas las guitarras de tipo español llevan ahora cuerdas de nailon.)

A finales de la década de 1930, un grupo de guitarristas de cuerdas de acero, la mayoría instrumentistas de folk norteamericano, country y blues, inspirados por los instrumentistas de banjo, empezaron a crear sus propias versiones singulares de *fingerstyle*. Desde entonces, el número de guitarristas (y la variedad de las técnicas de la mano derecha) no ha dejado de crecer. Algunos están a favor de las yemas de los dedos, otros de yemas y uñas, mientras que los que buscan el máximo volumen se ajustan púas de metal o plástico a los dedos y sobre todo el pulgar de la mano con la que tocan (otro enfoque tomado del banjo).

Ejercicios elementales de «fingerstyle»

Los instrumentistas que tocan solos lo hacen frecuentemente con los dedos, especialmente los cantautores, que necesitan para sí mismos un rico apoyo instrumental de sonido. Una forma sencilla de alcanzar esto consiste en combinar «licks» rotos basados en acordes con una línea de cuerda abierta de bajo, algo que puede ser muy difícil o imposible con una púa, pues las notas necesarias no pueden alcanzarse siempre con un solo toque.

Nuestro primer ejercicio sirve como introducción o conclusión a una canción o balada típica de estilo acústico. Está en E menor, y contiene grupos recurrentes de notas que se «añaden» a la secuencia descendente de las armonías suspendidas, tocadas sobre la E baja.

Las negras y corcheas que se desplazan (E, F# y B, seguidas de D, E y A y C, D y G) son todas producidas con la misma cambiable de la mano izquierda. Mantenga la mano en las tres posiciones diferentes del mástil en los compases 1-2, 3-4 y 5-6 para ayudar a sostener los acordes rotos.

Otra función «tradicional» del *fingerstyle* es dar números amables, no prominentes de acompañamiento con **arpegios** ondulados, y partes de bajo que se alternan entre la raíz y las quintas notas de cada acorde representado. Por sí mismos, tales modelos pueden parecer un poco monótonos, pero

ABAJO. Tocando el abierto de nuestro primer ejercicio. La digitación de la mano izquierda que se muestra aquí se desplaza hacia abajo dos trastes para las cuerdas rotas en los compases 3-4, y dos más para aquellas en los compases 5-6.

son especialmente populares entre los artistas de folk y country, y pueden funcionar bien en un contexto adecuado.

El siguiente ejemplo está en D mayor; toque sus mínimas y corcheas, pero rasguee los acordes de las negras punteadas barriendo las tres cuerdas de arriba con un rasgueo hacia debajo de su dedo índice.

Una vez más, deje que las notas y los acordes suenen tanto como pueda para ob-

tener un resultado óptimo y que suene lo mejor posible.

Hacer un uso estratégico de las cuerdas abiertas de la guitarra cuando toque con los dedos le permite crear partes que suenan suaves a la vez que rápidas. El ejercicio de A menor de abajo proporciona su calidad de sonido no solo por sus notas bajas, sino por la 1.ª cuerda E que se toca repetidamente en sus pasajes de corchea, y hay que dejarla resonar siempre que sea posible.

IZQUIERDA. Esta forma familiar de A7 proporciona notas para los compases 5 y 6 del segundo ejercicio.

En este ejercicio el compás 5 contiene una sucesión de intervalos de 6.ª caídos (C/A, B/G, A/F) tocados en la 1.ª y 3.ª cuerdas. Estos son agradablemente sencillos de manejar, y crean un efecto muy grato que es favorecido tanto por los instrumentistas de folk como por los compositores de guitarra clásica.

Las últimas piezas han demostrado varias de las posibilidades más simples del *fingerstyle*, y algunos guitarristas (sobre todo los cantautores mencionados) rara vez se mueven más allá de los acordes y líneas de bajo de cuerda rudimentarios que hemos estado explorando. Pero tocar con los dedos tiene aplicaciones mucho más amplias y arriesgadas, que podrá saborear un poco en las páginas siguientes, donde se explican de forma detallada.

ARRIBA. Tocar el segundo de las negras oscurecidas (C) en el segundo compás aparece aquí como «un clavado»: rasguee con más vigor de lo habitual; las vibraciones aún sonarán cuando haya tocado la precedente B abierta, de modo que el resto sonará solo. Las digitaciones de la mano izquierda para el compás 3 pueden resultar un poco inesperadas: mantenga la D (segundo toque) con el tercer dedo y entonces use el cuarto para la G, el índice para la 3.ª cuerda A y el segundo dedo para F#.

La canción «Sleep On, Beloved»

Es sencillo arreglo de «fingerstyle» de una canción caribeña titulada «Sleep On, Beloved» o (a veces) «And I Bid You Goodnight». Está en A mayor con notas bajas de las tres cuerdas de abajo, y una línea melódica que se armoniza usando 6.as (que hemos encontrado en la pieza de A menor de las dos páginas anteriores), 3.as mayores y algunos acordes más llenos.

Para familiarizarle con las 6.as y las 3.as en el diapasón, y para mostrarle cómo marcar la digitación, empezaremos con un breve ejercicio que contiene grupos de estos intervalos. Las 6.as en sus primeros dos compases se tocan todas en la 1.ª y 3.ª cuerdas (véase fotografía 1). Use el primer y segundo dedos de la mano izquierda para la D/F# inicial, y la A/C# del cuarto pulso en el primer compás; el resto de las 6.as, excepto la blanca E/G# en el compás dos, con su cuerda abierta, debe sujetarse en el traste con el tercer y segundo dedos. (Todas las digitaciones se refieren a la 1.ª cuerda, y después a la 3.ª cuerda.)

Las 3.as de la segunda parte del ejercicio están formadas con el tercer y segundo dedos (primeros dos pares de notas y primer pulso del compás 2; véase la fotografía 2), y el primer y segundo dedos (resto del compás uno). A estas alturas de su aprendizaje, los dos pulsos finales del compás dos son demasiado sencillos para que necesiten explicación.

ARRIBA-FOTOGRAFÍA 1. La primera negra del ejercicio preliminar, con el segundo dedo tocando F# en el 11.° traste/3.ª cuerda, mientras que el dedo índice (levemente oscurecido) sujeta la D en el 10.° traste/1.ª cuerda.

DERECHA-FOTOGRAFÍA 2. El tercer y segundo dedos en paralelo en la 2.ª y 3.ª cuerdas, produciendo, respectivamente, G# y E en el 9.° traste; el intervalo de apertura para el compás cuatro de nuestro ejercicio inicial.

«Camuflaje» bajo cuerda

Las digitaciones para las escalas que ha estudiado en los capítulos anteriores fueron diseñadas para permitirle tocar suavemente sucesiones de notas sin cortes (el término musical para esto es **legato**). Pero los constantes cambios en la mano izquierda necesarios para llegar a las 6.ᵃˢ y 3.ᵃˢ producirán inevitablemente un efecto levemente más desilvanado. No se preocupe por esto: en la misma canción *Sleep On, Beloved* nos apoyaremos en las notas bajas que suenan para «cubrir» estas interrupciones.

Los compases de apertura de la canción representan dos de las 6.ᵃˢ que hemos estado practicando, así como algunas 3.ᵃˢ descendentes que llevan al acorde de la A mayor en el compás 4 (así es que debería poder ejecutarlas sin problemas). El siguiente problema técnico importante ocurre tres compases después, con un movimiento incómodo de la mano izquierda de un par de 6.ᵃˢ C#/E a una forma de pequeño barré B/B7 (véase la fotografía 3); una vez que haya resuelto esto, ¡puede descansar en el acorde E del siguiente compás!

El resto de la pieza es una combinación de más 6.ᵃˢ con cuerdas abiertas sostenidas debajo de ellas, y algunas armonías básicas D, E7 y A. Deje que los tres acordes «pausados» al final (que llevan la última sílaba de *Goodnight* en la canción original) suenen tanto como usted quiera.

ARRIBA-FOTOGRAFÍA 3. La pieza principal, compás 7, tercero y cuarto toques: el índice mantiene un barré en el 4.º traste (creando una cuerda básica B mayor), el meñique añade una B alta en el 7.º traste/1.ª cuerda, mientras el segundo dedo se prepara para tocar en el 5.º traste/1.ª cuerda.

Volviendo a las afinaciones caídas

Nos hemos pasado la mayor parte del libro explorando una gama de técnicas «convencionales» con las manos derecha e izquierda que nos permitan sacar el máximo partido a la guitarra. Algunas veces, a pesar de todos nuestros esfuerzos, un efecto, acorde o nota concreta no nos es posible (a menos que cambiemos el tono de algunas o de todas las cuerdas del instrumento para tenerlas a nuestro alcance). Esta solución radical (que es frecuentemente adoptada por los músicos de folk y blues, aunque los instrumentistas más conservadores son reacios a ella) crea muchas nuevas posibilidades, pero también presenta inconvenientes.

Lo primero se refiere a la guitarra misma. La mayoría de las guitarras están configuradas para funcionar perfectamente en la afinación normal EADGBE, y cualquier desviación significativa puede producir zumbidos, mala entonación e incluso (en casos extremos) daño estructural al mástil y al cuerpo. Las cuerdas también pueden comportarse mal en los tonos no estándares y desafinarse, volviéndose flojas o rígidas, y a veces pueden romperse sin previo aviso. Los usuarios de afinaciones modificadas tienen sus instrumentos especialmente ajustados para minimizar estos problemas, y suelen elegir ajustes de cuerdas personalizados adecuados a sus necesidades, pero para experimentar ocasionalmente, no hace falta adoptar estas medidas.

Los mayores inconvenientes que se va a encontrar al usar las afinaciones caídas que se muestran en la siguiente página son cascabeleos esporádicos y, quizás, cuerdas incómodamente flojas. Un aviso: no intente subir el tono general de su instrumento cuando vuelva a afinar, pues esto puede generar en él cargas intolerables y potencialmente desastrosas.

Se puede afirmar que la afinación modificada más sencilla de manejar es la «Dropped D» (afinación caída), en la que la 6.ª cuerda se baja un tono, de E a D.

ARRIBA. Las afinaciones abiertas dan una resonancia añadida y riqueza cuando se toca un solo de guitarra acústica.

Un sencillo cambio hacia abajo

Puede reafinar su 6.ª rápida y fácilmente comparándola con su 4.ª (D) abierta, después baje su tono hasta que las cuerdas sean exactamente una octava fuera. El resultado es una resonante nota extra baja que es particularmente útil cuando toque en D o teclas relacionadas, y afortunadamente no necesita mucha redigitación en la mano izquierda. Como veremos, cambiar otros tonos más «extremos» convierte a las formas de acordes normales en inservibles, lo que le obliga a trabajar con nuevas posiciones de los dedos para armonías conocidas. Pero las escalas y algunos acordes con barré necesitan ser adaptados ligeramente para la afinación caída y, además, debe aprender una posición abierta modificada del acorde G mayor: esto aparece en el diagrama de abajo a la derecha.

Puede obtener el tacto de la afinación caída mediante la siguiente versión reelaborada de un ejercicio *fingerstyle* que apareció por primera vez unas páginas antes. Después de tocarlo, intente combinar la nueva nota baja con otras progresiones de acordes en las tonalidades de G, D y A.

Acorde G
(véase diagrama)

ARRIBA. Acordes básicos con cuerdas sonantes abiertas, como esta G, son una opción perfecta para realizar las técnicas de *fingerstyle*.

Acorde en G en afinación caída
X O O O

ARRIBA. Con la 6.ª cuerda puesta de nuevo en tono de D, la nota raíz para este acorde G ahora descansa en el 5.º traste, como vemos. La 5.ª cuerda contigua no debe sonar, mientras que la B, al mantener el acorde (2.º traste/5.ª cuerda), es inalcanzable con cualquier dedo de la mano izquierda.

Afinaciones en «E abierta» y «G abierta»

La afinación caída retiene cinco sextos de los tonos normales de las cuerdas de la guitarra, pero la mayoría de las demás afinaciones alternativas comprenden modificaciones más sustanciales. La más popular de ellas se basa en acordes mayores: «E abierta», por ejemplo, sube la 5.ª cuerda de A a B, la 4.ª de D a E, y la 3.ª a G#; las otras tres cuerdas permanecen invariables. Cuando se tocan, las cuerdas sin sujetar al traste producen un acorde de E, con la A o B disponibles mediante el barré por el mástil en el 5.º y 7.º trastes.

Los *licks* simples y las notas tristes pueden situarse fácilmente en las cuerdas de arriba y, para el ritmo básico o tocar con deslizamiento (véase el cuadro de la página siguiente), la «E abierta» tiene mucho que elogiar. Pero como comentó una vez un guitarrista de primera línea cuando se le preguntó sobre esto en una entrevista: «Entra bien pero es un poco limitado».

Una afinación abierta más sutil y útil es la «G» abierta, que deja la 2.ª, 3.ª y 4.ª cuerdas (B, G, D) sin modificar, mientras que la 1.ª, 5.ª y 6.ª bajan (respectivamente) a D, G y D. Vuelva a afinar a estos tonos bajando la 5.ª cuerda de modo que esté en octavas con la 3.ª; después afloje la 1.ª hasta que esté una octava por encima de la cuarta, y después afine la 6.ª con referencia a la 4.ª, como hizo cuando se desplazó a la afinación caída («*dropped* D»). Ahora intente el ejercicio de tocar con los dedos de debajo, usando la tablatura como guía para sus dedos en las posiciones desconocidas de los trastes. Los acordes de «apoyo» y la G baja en las primeras tres barras vienen de cuerdas abiertas: las notas por encima de ellas se tocan en la 1 desafinada (observe cuánto más fácil es doblar en este tono y tensión más bajos) junto con la 2.ª para F/G y D/G en el compás 3. Los primeros dos acordes en el compás final se crean con un barré en el 3.er traste (véase la fotografía 1).

ARRIBA-FOTOGRAFÍA 1. La digitación para los acordes de tres notas (B♭/F/B♭) en el compás 4 del primer ejercicio. Para las notas finales G/D/G, suelte el barré y toque la 5.ª, 4.ª y 3.ª cuerdas abiertas.

La «G abierta» le permite combinar las digitaciones estándar de la cuerda media con los bajos resonantes de G y D. También le da acceso fácil a las armonías del «truco de los tres acordes» en G mayor: un acorde C puede alcanzarse con un barré en el 5.º traste, y las formas de D y E menor son igualmente sencillas (véanse los diagramas) y, al igual que la mayoría de las afinaciones abiertas, se adapta peor a los acordes complejos y remotos, aunque puede sacar ventaja de sus cualidades especiales cuando toque, por ejemplo, A♭ o E♭ usando un capodastro.

Aquí, para terminar, hay una pieza de *fingerstyle* más elaborada en «G abierta»; contiene algunas formas no familiares y todas ellas se explican debajo.

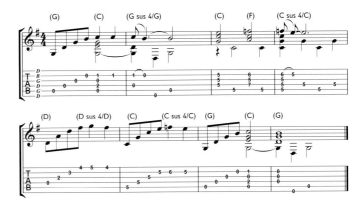

Toque los acordes oscurecidos «sus 4 a mayor» en los compases 2 y 4 como *pull-offs*. La armonía C al principio del compás 3 se crea con un barré a través del 5.º traste; añada una A (7.º traste/4.ª cuerda/tercer dedo) y una F (6.º traste/2.ª cuerda/segundo dedo) para hacer un acorde F para la segunda parte del compás, como se ve en la foto. Para la «C sus 4» en el compás 4, retire el tercer dedo, pero mantenga el segundo en el sitio para hacer F *pulled-off*; cuando este se ha aflojado, solo se mantiene el 5.º traste barré.

ABAJO-FOTOGRAFÍA 2. La forma F para el compás 3 del segundo ejercicio.

Acordes simples en «G abierta»

EL DESLIZAMIENTO

La «E abierta» y la «G abierta» son especialmente idóneas para tocar el *slide* (deslizamiento) en estilo de blues, en el que el guitarrista se fija un cilindro de cristal o metal a un dedo de su mano izquierda y toca las cuerdas con dicho tubo para crear notas resplandecientes, efectos de vibrato, acordes y efectos de glissando. El deslizamiento (también llamado *bottleneck* porque el cilindro se corta generalmente del cuello de una botella de medicina o de licor) es mucho más efectivo que doblar la cuerda como medio para crear notas de blues con leves flexiones y efectos parecidos. No obstante, solo puede formar armonías de notas que están en una línea recta a lo largo del mástil de la guitarra, y el dedo que lleva el tubo no se puede usar para sujetar las cuerdas a los trastes de forma convencional, lo que dificulta sujetar incluso las formas más sencillas y normales de la mano izquierda. Dichas dificultades pueden reducirse con una combinación de melodías de cuerdas abiertas y técnicas de *fingerstyle*, lo que permite crear una gran variedad de acordes, a la vez que da la posibilidad al instrumentista para tocar melodías, acordes y/o líneas de bajo independientemente unas de otras.

Armónicos

Antes de volver a la afinación normal de su guitarra, coloque el dedo índice de la mano izquierda en el mástil directamente sobre el 12.º traste y rasguee las seis cuerdas (probablemente será más fácil con una púa), levantando el índice fuera del diapasón cuando las golpee. Las notas resultantes (DGDGBD) serán las que usted esperaba, pero con un sonido de campana, un timbre ligeramente incorpóreo que le va a sorprender. Si alguna de las cuerdas suena sorda o «disgustada», practique la temporización relativa del golpe de su púa y el «despegue» de la mano izquierda, y asegúrese de que está dejando el índice exactamente sobre el traste antes del rasgueo.

Las notas sonantes que acaba de crear son **armónicos** que se producen cuando usted para las cuerdas en puntos de su longitud conocidos como «nodos», haciéndolas vibrar en sus múltiples frecuencias medias (**fundamental**.) En conjunto, con afinaciones como la «G abierta», nos permite generar acordes mayores en varias posiciones del mástil. Los armónicos en el 7.º traste dan un acorde de D (una octava arriba que ha logrado al presionar las cuerdas aquí); mientras que aquellos en el 5.º traste se añaden a un segundo acorde G, más alto.

Armónicos 1.º, 2.º y 3.º

Volvamos ahora a EADGBE y observe más atentamente dónde pueden hallarse los armónicos fundamentales. En el 12.º traste de cada cuerda está el denominado **1.er armónico**, que se encuentra una octava por encima de su tono (fundamental) abierto (véase el diagrama y la notación). La posición del 7.º traste da un **2.º armónico**, entonado una 5.ª por encima del 1.er armónico, mientras que el 3.er **armónico**, una nota una octava por encima del 1.er armónico, está situada en el 5.º traste.

IZQUIERDA. El dedo índice, que ha estado descansando suavemente encima de las cuerdas justo sobre el 12.º traste, despega cuando las cuerdas se rasguean con la púa, creando los armónicos.

DERECHA. Para producir un 1.er armónico F artificial, cambiamos la longitud vibrante de la cuerda de arriba sujetándola en la 1.ª posición.

ABAJO. Después toque la cuerda en el 13.er traste (como se describe en el texto) mientras la tocamos.

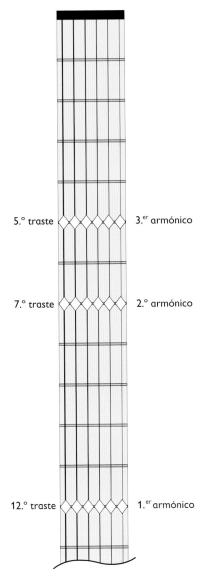

5.º traste — 3.er armónico

7.º traste — 2.º armónico

12.º traste — 1.er armónico

Hay más armónicos de «cuerda abierta» accesibles desde otras posiciones, pero no se suelen emplear. Pero usted debe requerir los armónicos que no están disponibles en las cuerdas tocadas convencionalmente. Merece la pena saber cómo hacer armónicos **artificiales**, como el 1.er armónico F descrito más abajo. Empiece sujetando la 1.ª y 6.ª cuerdas en el primer traste (para dar un F normal).

Después, mueva la mano justo detrás del 13.er traste, extienda el dedo corazón de la mano derecha hacia él, mientras agarra la púa entre el índice y el pulgar. Por último, toque la cuerda en el 13.er traste mientras la toca simultáneamente para obtener el armónico F. Esta pieza sinuosa pero práctica funcionará, por supuesto, igual de bien en otros tonos y posiciones.

Lo que ha aprendido

Tocar «fingerstyle» le permite casi cualquier combinación de cuerdas simultáneamente; las cuerdas no tienen que ser vecinas, como cuando usa una púa.

El «fingerstyle» es especialmente adecuado para acompañar a cantantes, y para piezas elaboradas de solo que representan tanto melodías, acordes como líneas de bajo.

Como norma, use el pulgar de la mano derecha para tocar las tres cuerdas más bajas, y el primer, segundo y tercer dedos para, respectivamente, la 3.ª, 2.ª y 1.ª cuerdas. En cierta música de guitarra, las digitaciones de la mano derecha se indican mediante abreviaturas de una letra junto a la notas y acordes: «p» para el pulgar, «i» para el índice, «m» para el corazón (segundo o medio) y a (anular) para el tercero.

Las notas de las cuerdas abiertas, especialmente en el bajo, pueden «suavizar» cambios de acordes y dar apoyo a melodías y «licks». Las afinaciones abiertas (como la «G caída» o la «E abierta») maximizan este efecto de soporte, aunque no sean tan útiles para acordes que no incluyen los tonos suministrados por sus cuerdas sin sujetar en el traste.

Los armónicos pueden «dar vida» a los solos, «riffs» y acordes; los armónicos artificiales pueden cerrarse sujetando una cuerda por el traste y luego tocándola doce, siete o cinco trastes sobre la posición donde está siendo sujetada. Experimente con todas estas posibilidades.

Y ahora, ¿qué?

Ahora que ya ha llegado al final de este libro, es hora de analizar lo que ha aprendido y decidir sobre sus objetivos musicales y técnicos, además de considerar su conocimiento real y la futura idoneidad del material que está usando. Este capítulo sugiere varias maneras para que mejore el sonido de sus instrumentos y su capacidad de tocar, y esboza las opciones abiertas que tiene si decide mejorarlo, o añadir equipo accesorio, como pedales de efectos o aparatos de grabación. También le explica dónde encontrar libros de apoyo, vídeos y otras guías de estudio que impulsarán su desarrollo como instrumentista, además de darle unos consejos prácticos sobre los puntos positivos y negativos que se puede encontrar al ensayar y tocar con otros músicos.

Elegir y cambiar cuerdas

Después de pasar muchas horas con su guitarra, ahora está familiarizado y consciente de la forma de su mástil y cuerpo, y la manera en que responde a su toque. También habrá empezado a observar algunas deficiencias e imperfecciones en su rendimiento. La primera parte de este capítulo incluye algunos modos en que estos defectos pueden remediarse. Una buena manera de empezar el proceso es darle al instrumento un juego de cuerdas nuevas, una mejora barata que garantiza aportar nueva chispa a su sonido.

Durante su corta vida (que varía desde unos pocos días a unos meses, dependiendo de la frecuencia de uso y otros factores), las cuerdas absorben el sudor y la grasa de su mano izquierda, se recubren de polvo y soportan largos periodos de vapuleo de su púa, además de estar sujetas a grandes tensiones. Esto conlleva un deterioro progresivo de la calidad de su tono y su estado físico; por último, las cuerdas gastadas se corroen, se desenrollan y, sencillamente, se rompen.

Afortunadamente, sus cuerdas no han alcanzado todavía este momento, pero no les vendría mal una renovación. Si no ha comprado un juego de cuerdas de repuesto con su guitarra, lea el cuadro de la siguiente página para que pueda elegir el tipo y calibre correctos, y vaya después a su tienda de música a comprarlas. Las otras herramientas esenciales para cambiar las cuerdas a la guitarra son un afinador, un sintonizador electrónico, u otra referencia para el tono, y un alicate para alambres.

No quite las seis cuerdas a la vez porque se puede dañar la guitarra. Lo mejor que se ha de hacer en este punto es aflojar la 1.ª cuerda desgastada hasta que pueda desenrollarse fácilmente del **clavijero**. Un consejo muy útil es el siguiente: el extremo de la cuerda es muy afilado; tenga especial cuidado para que no le toque los ojos. Para sacar la cuerda totalmente de una eléctrica, tire

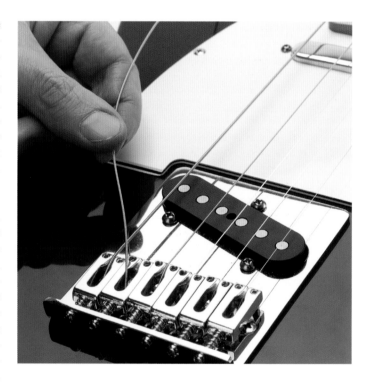

ARRIBA. Soltando una 5.ª cuerda del puente de una Fender Telecaster.

por el orificio que fija su terminal de bola al cuerpo de la guitarra o sujete el cordal. En las acústicas, el terminal de bola se mantiene en posición mediante un pasador de puente, el cual ha de ser empujado para que salga la cuerda.

Sustituir las cuerdas

Fije su 1.ª cuerda nueva a una eléctrica enrollándola por el cuerpo o sujete el cordal hasta que el terminal de bola haga tope. En

TIPOS Y CALIBRES DE CUERDAS

La mayoría de las cuerdas diseñadas para las guitarras eléctricas están hechas de acero atemperado de calidad, en la 4.ª, 5.ª y 6.ª cuerdas, con entorchado por baño de níquel. Para las guitarras acústicas se prefiere generalmente el entorchado de bronce, y los juegos de cuerdas acústicas incluyen normalmente una 3.ª *wound*, lo que da más impulso a su tono.

Su guitarra (ya sea eléctrica o acústica) seguramente estaba casi ajustada con cuerdas de **calibre ligero** por su fabricante. El calibre de las cuerdas viene definido por su diámetro, medido en fracciones decimales de una pulgada. Un juego de acústica típico de «calibre ligero» contiene una 1.ª cuerda con un diámetro de 0,28 mm y una 6.ª de unos 1,32 mm (con las otras cuerdas en proporción). Las cuerdas eléctricas son normalmente un poco más finas, presentando un calibre ligero en la 1.ª de aproximadamente 0,25 mm y la 6.ª de 1,17 mm. Los juegos de cuerdas **ultraligeras**, con diámetros de la 1.ª cuerda tan finos como de 0,2 mm, también son muy usados.

Las cuerdas más ligeras son más fáciles de manejar, ya que requieren menos esfuerzo para curvarlas. No obstante, para un sonido más rico y potente, y un «tacto» general más sólido, intente experimentar con juegos eléctricos o acústicos de calibre medio. Estos tienen normalmente la 1.ª cuerda de alrededor de 0,33 cm y la 6.ª de 1,42 mm. Existen diversos calibres personalizados y devanados, así como recubrimientos especiales.

ARRIBA. Ajuste de una nueva cuerda (1): la cuerda se introduce en un agujero en la parte trasera de la Telecaster que conduce al montaje del puente. El terminal de bola se mantiene en el sitio dentro del cuerpo de la Telecaster; otras guitarras tienen cordales o una combinación de bloques de puente/cordal para sujetar las cuerdas.

las acústicas, empuje el terminal de bola hacia el puente y presione el pasador del puente firmemente hacia abajo. Ahora enrolle el otro extremo de la cuerda sobre el cabrestante, como se muestra en la fotografía, girando la clavija para recoger la parte floja y elevar el tono. Vigile que no se deslice ni se enganche; en las guitarras acústicas, asegúrese de que el pasador del puente se mantiene en su sitio según aumenta la tensión.

Use las otras cuerdas y/o su referencia externa del tono para comprobar la afinación de la nueva cuerda, que estará inestable durante unos minutos hasta que se estire totalmente. Por último, use el alicate para alambres para recortar el extremo que sobresale de la clavija antes de repetir el mismo procedimiento para las otras cinco cuerdas. Si no consigue hacerlo bien, no dude en acudir a su tienda habitual para que le ayuden.

IZQUIERDA. Ajuste de una nueva cuerda (2): la cuerda se enrolla en el clavijero y se aprieta girando la clavija correspondiente de la cabeza del mástil. Al principio del proceso, la cuerda aflojada es difícil de mantener en su lugar; sujetándola hacia abajo con un dedo (como en la fotografía) resultará más fácil de enrollar.

Configuraciones, modificaciones y mejoras

Aunque haya cambiado incluso cuerdas y calibres, puede que encuentre que su guitarra no funciona bien del todo, como a usted le gustaría. ¿Su acción es incómoda?, ¿están los trastes desgastados o dañados?, ¿las notas y acordes que toca en posiciones más altas parecen levemente desafinadas en relación a las más bajas del mástil? Durante las semanas o meses que han pasado desde que la compró, ¿ha desarrollado nuevos zumbidos, sonidos ratoneros, o (si es una eléctrica) chasquidos y zumbidos de sus pastillas, botones de mando o interruptores?

¿Es el momento de una nueva guitarra?

Si la respuesta a esta u otras preguntas es afirmativa, puede que merezca la pena hacerle a su acústica o eléctrica una «puesta a punto» (la mayoría de las tiendas de guitarras ofrecen este servicio, o bien pueden recomendarle un técnico local experimentado). La «puesta a punto» incluye ajustar la altura de las cuerdas y trastes del instrumento para que se adapten a sus preferencias y elección de calibres de cuerdas, optimizar su entonación, y diagnosticar y solucionar otros problemas menores y no tan menores. A los «técnicos» les encanta debatir siempre sobre mejoras y modificaciones más radicales, pues para ellos es fácil sustituir las pastillas de las guitarras eléctricas económicas por componentes mejores y con más salida, o ajustar un puente nuevo o un sistema de trémolo que puede transformar un instrumento mediocre en algo especial. Y si quiere tocar su acústica con un amplificador, o en una unidad de grabación o de efectos, sin usar un micrófono, pregunte por la instalación de una pastilla **piezoeléctrica** en ella. Estas se pueden comprar a precios bastantes razonables y no afectarán al sonido «desconectado» (*unplugged*) del instrumento.

No obstante, incluso hay límites a lo que puede conseguir un técnico con experiencia. Mientras que cualquier «hacha» puede be-

ARRIBA. Las guitarras costosas como esta destacan por la calidad de su construcción y por el sonido más potente y rico de sus pastillas en comparación con sus homólogas más ajustadas de precio.

ARRIBA. Desatornillar y soldar un poco puede ser suficiente para modernizar las pastillas y controles de esta guitarra eléctrica fabricada en Corea.

neficiarse de ciertos apaños que mejoren su rendimiento, los extras añadidos nunca podrán lograr una joya de un eléctrica que no da para más, y aún hay menos que hacer cuando se trata de mejorar una acústica económica, cuyos cuerpos laminados simplemente no pueden equipararse al sonido superior que suministran los modelos construidos con maderas finas de más calidad. Un técnico de reputación le asesorará honestamente sobre lo que puede esperar de su guitarra y lo que no, y su veredicto le puede llevar a usted a considerar vender su guitarra o bien comprar (o empezar a ahorrar) otra mejor. Al hacer esto, trate de vender su instrumento por su cuenta en vez de aceptar un trato en el que entregue su guitarra como parte de la compra, pues en el primer caso obtendrá más dinero contante para buscar la guitarra de sus sueños.

IZQUIERDA. Una tapa sólida de serie con algunos extras interesantes, incluida una pastilla especial (montada debajo del puente), proporciona una interfaz con un sintetizador.

Aprender más

Con su conocimiento sobre escalas, acordes, técnicas de la mano derecha y teoría elemental que ha adquirido ya, y su guitarra a punto para su disfrute (o un instrumento más adecuado entre sus brazos), está preparado para embarcarse en una etapa nueva y fascinante de su viaje musical, cuyo rumbo solo lo decidirá usted tomando la determinación de qué tipo de música le interesa y cómo quiere aplicar sus habilidades para tocar con la guitarra dicho tipo de música.

Mientras aprende el estilo que ha elegido, podrá recurrir a música impresa, discos compactos y ayuda técnica. Hace unas décadas, los guitarristas principiantes de jazz hubieran tenido que luchar para descifrar los solos rápidos de «grandes» como Django Reinhardt o Tal Farlow (un tortuoso método de obtener esto era decelerar los discos de vinilo de 33 rpm a 16 rpm, causando así una caída de tono considerable y una reducción en el tempo, para intentar captar todas las semicorcheas). Hoy puede comprar o pedir prestadas notaciones y transcripciones de tablaturas de todos sus números clásicos, y de todas las composiciones igualmente influyentes de otras estrellas del blues y el jazz, desde Robert Johnson a Pat Metheny, aunque lograr realmente tocarlos sigue siendo un gran reto, ¡cómo siempre!

Los amantes de la guitarra roquera no lo tendrán tan fácil para encontrar versiones impresas de los *riffs* y *licks* de sus ídolos (aunque cada vez hay más libros, artículos en revistas y vídeos que explican cómo se han hecho); pero aquí la tecnología digital puede venir al rescate en la forma de «*phrase trainers*» («entrenador de frases») como el modelo Tascam que se muestra más adelante. Estos entrenadores le permiten insertar un CD que presenta un solo favorito de su elección, lo muestrea y lo introduce en bucle, lo decelera sin bajar el tono, lo enchufa a su guitarra y lo toca con la(s) frase(s) repetida(s), a velocidad reducida hasta que usted pueda copiarlo nota por nota.

Otra herramienta útil para la práctica, el estudio y compartir sus ideas musicales

ARRIBA. Utilizar técnicas de microfonía es una manera sencilla de compensar los niveles diferentes de las guitarras acústica y eléctrica, aunque pueden producirse problemas con el *feedback*, el pitido generado cuando el sonido amplificado retorna de nuevo al micrófono.

CÓMO SE HACE PARA...

¿Aprender las canciones clásicas usadas en el jazz y descubrir más sobre las obras de los grandes guitarristas de este género?

Los denominados «libros falsos», antologías de «estándares» del jazz que muestran líneas de melodías, letras y acordes están disponibles en el mercado.

Busque recopilaciones de CD de artistas que le interesen y pregunte a los vendedores especializados y en el comercio electrónico por libros que contengan transcripciones de sus solos.

¿Empezar a estudiar estilos para tocar blues?

Escuche constantemente a sus artistas favoritos. Lea historias de música y busque grabaciones de los guitarristas y de las historias que cuentan.

Aprenda de libros y vídeos tutoriales y transcripciones. Los del guitarrista norteamericano Stefan Grossman son especialmente útiles cuando se estudian técnicas de deslizamiento y afinaciones alternativas. Grossman adquirió sus conocimientos directamente de grandes del gospel y el blues, como el reverendo Gary Davis.

¡Emule a su guitarrista de rock favorito!

Piense en usar un «entrenador de frases» (véase la página anterior).

Compre y pida prestados libros de canciones y partituras.

Lea revistas punteras de guitarra del Reino Unido y, sobre todo, de Estados Unidos, que contengan apariciones de instrumentistas estrella y sus técnicas de tocar.

Aprenda más cosas sobre efectos electrónicos.

---

con otros músicos es algún tipo de aparato de grabación de audio. Antes, la mayoría nos apoyábamos en los reproductores de cintas de baja fidelidad que solo podían capturar sonido en «tiempo real». Después aparecieron las TEAC «Portastudio»™ y sus imitadores (que permitían el seguimiento de multipistas y el mezclado sencillos), y después apareció por fin la primera grabadora digital a un precio razonable. Hoy día hay desde el Minidisc, que puede combinarse con un micrófono estéreo para grabar sus ensayos, a *multitrackers* que lo pueden ayu-

dar a crear ricos paisajes sonoros elaborados desde una simple guitarra.

Máquinas como estas, que presentan una plétora de potentes efectos electrónicos, pueden suministrar un entorno virtual atractivo para el músico en solitario. Cuando los conectan una vez sus instrumentos y auriculares, algunos usuarios tienden a convertirse en instrumentistas de «salón» y rara vez participan en actuaciones en vivo. Pero los guitarristas más gregarios que gustan de los conciertos no debieran renunciar a la tecnología como algo que solo es para casa o para experimentos en estudio. Como veremos más adelante, los pedales y otros procesadores de sonido han moldeado el sonido en escena de la guitarra durante décadas, y ahora son más populares, versátiles y económicos que nunca.

ARRIBA. TASCAM's CD-GT1 entrenador de frases le permite obtener muestras y practicar *riffs* difíciles y solos a partir de grabaciones. También incluye efectos digitales de alta calidad.

ARRIBA. El 4-track TASCAM Pocketstudio 5 graba digitalmente en Compact Flash media: canciones completas pueden trasladarse a un ordenador con un puerto USB.

Efectos (1)

Los efectos electrónicos más usados por los guitarristas son englobados en cuatro categorías.

Retardos. Retrasan la salida desde el instrumento durante cortos periodos de tiempo (normalmente medidos en milisegundos). Esta señal retardada puede entonces combinarse, en proporciones ajustables, con el sonido denominado «seco» que no está retardado. Entre los aparatos populares de retardo destacan las **unidades de reverberación**, muchas de las cuales pueden simular patrones complejos de reflexión y reverberación que ocurren cuando las ondas del sonido chocan contra las paredes de una habitación. Los **pedales de retardo** analógicos y digitales que pueden convertir un solo golpe de púa en reiteraciones repetitivas de una nota o acorde y los ***03_Guitarra*** y **coros**, que generan diversos grados de retardo y cambio de tono, produciendo efectos singulares de *swishing* y *doubling*. Todos ellos se usan tanto en guitarras eléctricas como en guitarras acústicas amplificadas.

Aparatos de distorsión. Pedales y cajas diseñados para imitar el tipo de *overdrive* musicalmente satisfactorio producido por los amplificadores de válvula, aunque sean también capaces de efectos grandes, *fuzz* y *heavy metal* que pocos amplificadores podrían dar sin ayuda. Funcionan simulando deliberadamente sobrecargas electrónicas, mediante la creación de una señal en derivación de la salida de la guitarra que es rica en distorsión de la onda cuadrada (denominada así porque su forma de onda tiene picos extremos cuando se ve a través de un osciloscopio). Solo son adecuados para «hachas» eléctricas.

Compresores y otras herramientas para reducir el alcance dinámico de la guitarra. Estos «aplanan» ciertos contrastes entre las señales más altas y bajas, no solo para impedir sobrecargas, sino para crear también sonidos característicamente incisivos o suaves y nivelados. Se usan mucho para tratar las guitarras eléctricas y acústicas tanto en el estudio como en concierto. Otros aparatos parecidos que afectan al nivel de salida de los instrumentos y otra electrónica son las **compuertas de ruido** (que bloquean el zumbido y el ruido de fondo, dejando pasar solo las señales más fuertes, como las notas y acordes) y las **unidades de trémolo** (cuyas interrupciones del volumen rítmicas y rápidas pueden escucharse en numerosas pistas donde suenan canciones de blues y rock and roll).

ABAJO. Este pedal Boss produce una gama impresionante de retardos digitales mono y estéreo.

PÁGINA SIGUIENTE. Una opción para los *headbangers:* un pedal de distorsión potente y flexible que ofrece niveles diferentes de *fuzz* y *overdrive*.

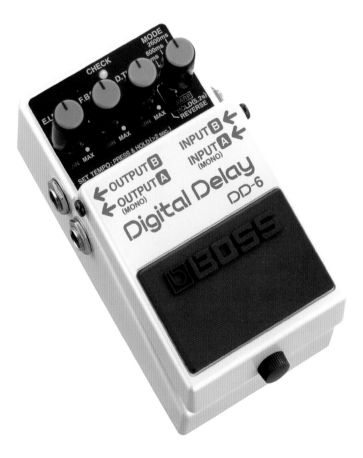

© Roland Corporation

Ecualizadores. Aparatos que impulsan o cortan diversas frecuencias a través del espectro sonoro de la guitarra. Los más conocidos son los **ecualizadores**, controles de tono elaborados capaces de modificar el timbre de las eléctricas o acústicas, y «marcar» las zonas solitarias de agudo, bajo y medio alcance que producen *feedback* o ensucian el sonido. Un tipo de ecualizador más extremo es el **pedal wah-wah**, cuya electrónica interna enfatiza espectacularmente sucesivas bandas de frecuencias cuando es activado por el pie del instrumentista.

ABAJO. Los efectos generados digitalmente por la tecnología avanzada del GS-10 de Boss pueden modificarse usando el *software* específico suministrado con la unidad (véase la imagen en detalle de abajo a la izquierda). El GS-10 incorpora entradas de guitarra y micrófono, y también lleva un pequeño sistema de altavoz incorporado para una fácil supervisión.

ARRIBA. Manipulando los controles del tablero de la guitarra eléctrica se consiguen interesantes efectos que pueden mejorarse con el uso de aparatos externos.

© Roland Corporation

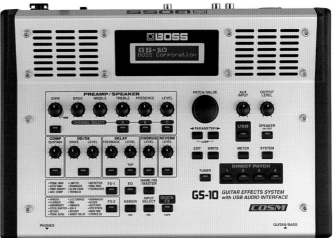

© Roland Corporation

Efectos (2)

Los efectos de la guitarra tienen multitud de formas y tamaños: algunos son los pedales, otros montables en armarios o cajas de estilo estudio, etc., pero todos ellos tienen que estar conectados entre sí, con medios eléctricos o baterías y, por supuesto, conectados a su guitarra (en un extremo) y a su amplificador (en el otro).

Incluso un pequeño número de ellos puede crear un enredo considerable de cables y un despliegue de botones e interruptores que requieren cantidades increíbles arreglos y soluciones. Además, la presencia y el sonido del músico en concierto, cargado de efectos, ha atraído la burla de las audiencias y los críticos... sobre todo en el *New Musical Express*, cuya viñeta de humor mostró una vez a un guitarrista con mirada de loco posando frente a la pila de equipo que supuestamente necesitaba para «estar a punto y tocar blues».

Aunque los usuarios de efectos excesivos de la guitarra eléctrica puedan ser motivo de burla y risas, su despliegue de material les da, al menos, control directo sobre su sonido en vivo. Hasta hace relativamente poco, los instrumentistas de guitarra no estaban en una posición feliz. Antes de la llegada de los combinados de baja distorsión amplificador/altavoz, especialmente diseñados para manejar la salida de sus micrófonos o pastillas piezoeléctricas, las señales de sus instrumentos se enviaban directamente al sistema de megafonía en los eventos en los que tocaban.

Aquí el volumen, la ecualización, la compresión y la reverberación estaban en manos del técnico local (o también, a menu-

ARRIBA. Ovation ha sido un fabricante líder de guitarras acústicas desde los años setenta. Como todos sus instrumentos, el 1779 Custom Legend que se ve aquí tiene el cuerpo hecho de un material sintético llamado Lyrachord. Su tope de pícea está decorado con abulón. Véase en la página siguiente, abajo, una fotografía de su preamplificador.

IZQUIERDA. El combinado Laney LA65C está diseñado especialmente para instrumentos acústicos. Lleva *reverb* y coros incorporados, y da una salida de 65 vatios a través de dos altavoces de 20,3 cm; también lleva un *horn driver* para manejar las señales de audio de alta frecuencia.

IZQUIERDA. Marshall's AS100D combo, creado, como rezaba la campaña publicitaria, «para el músico acústico que lo quiere todo». Cada uno de sus canales estéreo se estima en 50 vatios e incorpora efectos ampliados en el tablero, así como controles de ecualización y de *feedback*.

do, en manos de un manitas con poco oficio) con escasos conocimientos o apreciación de las necesidades del guitarrista, por lo que los resultados podían ser nefastos. Hoy, los amplificadores acústicos, como los que se mencionan arriba, son mucho más comunes, y los instrumentos contienen sofisticados **preamplificadores** y ecualizadores que permiten que el sonido de sus **transductores** sea impulsado y configurado en la fuente.

La última generación de amplificadores y procesadores para guitarras acústicas y eléctricas hace uso creciente de la «brujería» digital. Los aparatos analógicos de baja calidad, como el tradicional *spring reverb* (una caja con un muelle de cable dentro que producía un eco nasal, a menudo acompañado de una gama de ruidos adicionales indeseables), están siendo sustituidos por microchips, cuya potencia y versatilidad permiten la creación y combinación

de efectos múltiples en una caja única (solucionando así el problema de «interconexión» de Lone Groover). Incluso las unidades relativamente baratas de este tipo pueden ofrecer cientos de sonidos diferentes. Algunas incluso presentan «tecnología de modelado digital» que encierra las características tonales simuladas de varios amplificadores/altavoces «clásicos» y pastillas de guitarra, y pueden ser aplicados a cualquier señal entrante.

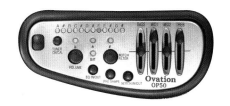

IZQUIERDA. El alto rendimiento del OP50 preamplificador fue incorporado al Ovation 1779 Custom Legend, con cuatro bandas de ecualización y un sintonizador electrónico empotrado.

Practicar con otros músicos

Aunque todavía queda mucho para su debut en concierto, no es demasiado pronto para empezar a pensar cómo usted y su guitarra interactúan con otros músicos, ya sea intercambiando ideas o participando en colaboraciones a más larga escala con una gama de instrumentos diferentes. No importa lo informales que sean estas sesiones, pero siempre es una gran ayuda el hecho de planearlas minuciosamente.

Haga una lista de las canciones o elementos que quiere probar, proporcione copias de los acordes a cada participante, domine con antelación cualquier pasaje de solo con truco y algunos *riffs*... y tenga en consideración las cuestiones prácticas, además del contenido musical. ¿Es la habitación elegida lo suficientemente grande?, ¿tiene las suficientes tomas de alimentación para los amplificadores y el resto del equipo? Y, en caso de combinar instrumentos acústicos y eléctricos, o si se incluye voz, ¿se oye a todo el mundo? Hablando en general, los cantantes y las guitarras acústicas necesitan amplificación cuando están con instrumentos eléctricos y/o baterías. (Para esto se pueden traer unos amplificadores sueltos de guitarra conectados a micrófonos adecuados, o incluso, si fuera necesario, una máquina de karaoke). No intente usar un equipo estéreo casero que no podrá manejar las señales de alto nivel, pero un piano acústico sí puede aguantar, e incluso un percusionista, siempre que el volumen general se mantenga bajo en todo momento.

También puede que quiera estar de pie en el ensayo, aunque así siempre es más duro manejar los barrés y otros acordes complicados. Para reducir la incomodidad y tener el instrumento correctamente sujeto, compre una correa fuerte y ancha para su guitarra, asegurándola firmemente a los botones de metal del cuerpo del instrumento. (Algunas acústicas solo tienen un botón y sus cuerdas deben unirse al clavijero justo encima de la cejilla.) Coloque la guitarra con

ARRIBA. Las sesiones de ensayo conjuntas pueden ser un modo divertido de desarrollar sus habilidades para tocar la guitarra.

PÁGINA SIGUIENTE. Solo es rock and roll... ¡pero nos gusta!

la correa más o menos a la misma altura y ángulo que cuando está sentado, y no siga la tentación de bajarla hasta el muslo o la entrepierna.

Puede que parezca tedioso mencionar aspectos de «salud y seguridad» en este contexto, pero cualquier reunión de músicos con amplificadores puede crear situaciones de riesgos eléctricos, y generar niveles de sonido altos y peligrosos. Asegúrese siempre de que el equipo eléctrico está en buen estado y conectado correctamente a tierra. Si tiene cualquier duda sobre el cableado del lugar donde está tocando, compruebe los enchufes que está usando con un verificador de circuitos Martindale (véase la fotografía), y mantenga las bebidas y otros fluidos fuera de los amplificadores, los micrófonos y las guitarras enchufadas.

No practique durante largos periodos de tiempo a volumen alto y pare inmediatamente si empieza a sentir desplazamiento del umbral de audición (una reducción temporal de la sensibilidad de su audición, acompañada a menudo de un timbre en sus oídos), y recuerde que no hay cura generalmente aceptada para el tinnitus (o acúfenos) y otras formas de afecciones auditivas que puede sufrir en estas sesiones musicales.

Ninguno de estos sombríos avisos le debe impedir pasarlo bien con otros músicos, o hacer algo para reducir el golpe de adrenalina que experimentará cuando lo que toca todo el mundo empieza a cuajar, o cuando suba el volumen para hace su primer solo. La excitación de tales momentos nunca se pierde y su impacto perdurable fue resumido perfectamente por Frank Zappa: «Me encanta tocar la guitarra; es una de las grandes sensaciones físicas de siempre».

ARRIBA. Use un verificador de circuitos Martindale para asegurarse de que los principales enchufes son seguros.

Lo que ha aprendido

Cambie las cuerdas de su guitarra antes de que se decoloren o corroan. Conforme se desgastan, perderán su respuesta adecuada de los agudos. Para evitar una diferencial tonal apreciable cuando las cambie, es una buena idea domar las cuerdas nuevas durante unas horas antes de usarlas en serio. Pruebe con un juego de cuerdas más grueso si lo que desea es reforzar su sonido.

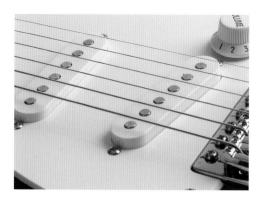

Consulte con un vendedor o técnico para ajustar su instrumento a sus necesidades personales y para saber si se beneficiaría de modificaciones o añadidos. Los puntos importantes son las pastillas (estas pueden mejorarse en las eléctricas, o colocarse como «extras» en las acústicas), el puente y la cejilla (los ajustes y reacondicionamientos pueden mejorar el tono y la acción de la guitarra, y si desea una barra Whammy en su eléctrica, no es difícil instalar un nuevo puente/sujetacordal que incorpore una), y el mástil y los trastes. A pesar de todo, no espere milagros de tales apaños.

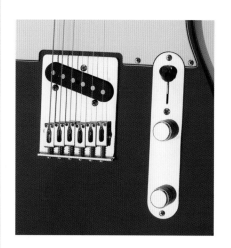

Los efectos electrónicos transformarán su sonido (pero no su estilo de tocar o su habilidad musical), pero enchufarlos y conectarlos entre sí lleva tiempo y es complicado. También es muy habitual abusar de su uso. Si decide añadir una o más «cajas mágicas» o pedales a su configuración, recuerde conectarlos a veces a un «bypass».

Póngase al día sobre los desarrollos técnicos actuales en el mundo de la guitarra leyendo una o varias revistas especializadas sobre dicho instrumento. Las revistas punteras norteamericanas de guitarras suelen ser una fuente valiosa de información sobre guitarristas estrellas y nuevos productos, y llevan muchos anuncios y publicidad sobre libros, partituras y vídeos.

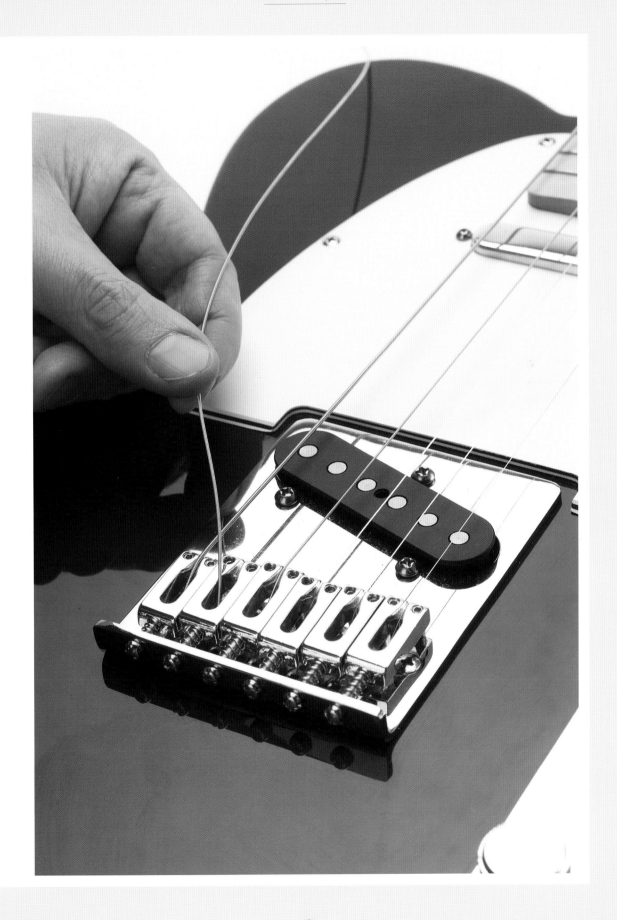

Diccionario de acordes

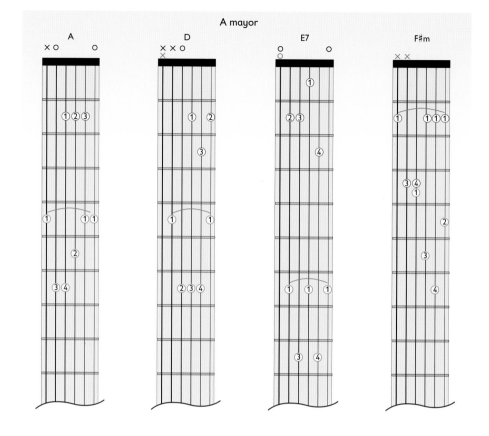

A mayor

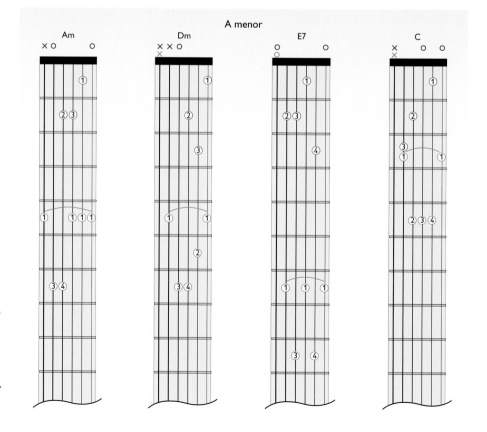

A menor

Este diccionario proporciona los cuatro acordes básicos (tónica, subdominante, 7.ª dominante y relativa menor/mayor) de todas las tonalidades. Para cada acorde se muestran dos formas; obviamente, pueden usarse también muchas formas alternativas. Las tonalidades para Db menor y Ab menor se muestran en sus enarmónicos equivalentes, C# menor y G# menor.

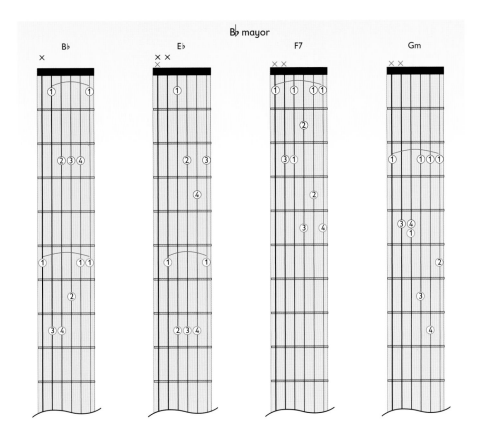

Bb mayor

Bb   Eb   F7   Gm

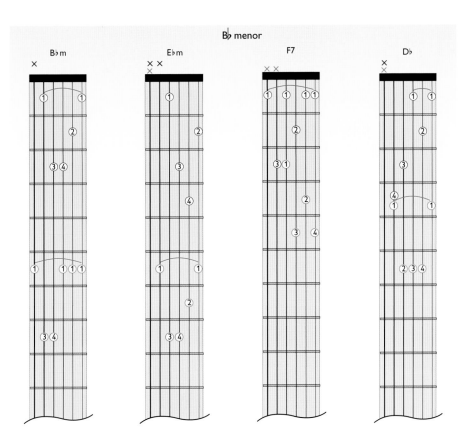

Bb menor

Bbm   Ebm   F7   Db

Diccionario de acordes

Diccionario de acordes

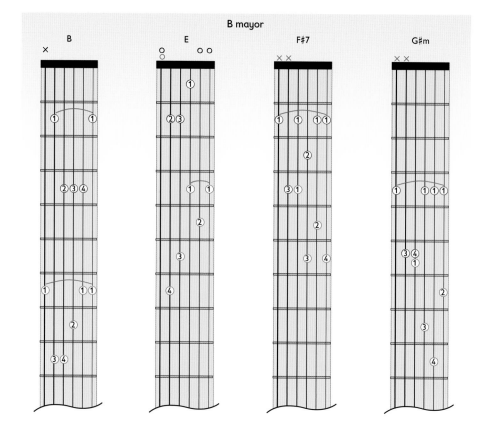

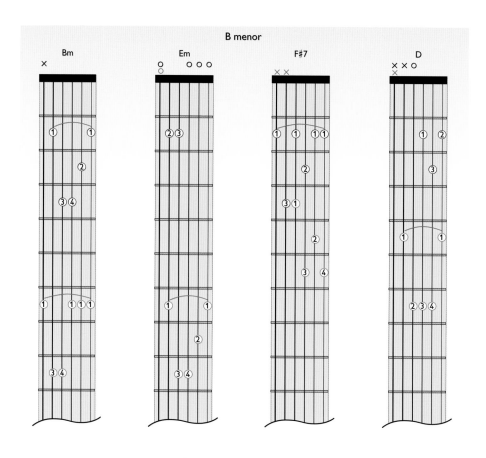

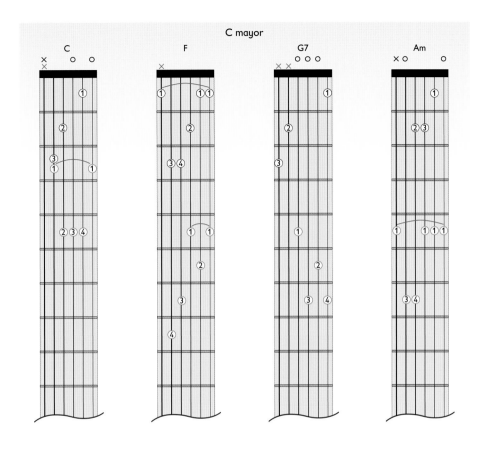

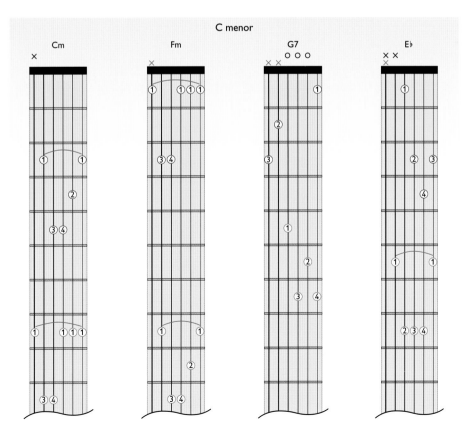

Diccionario de acordes

Diccionario de acordes

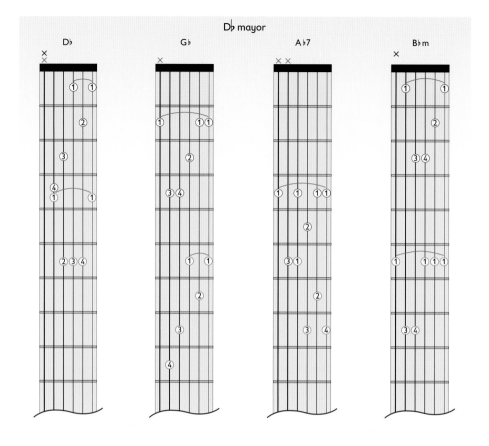

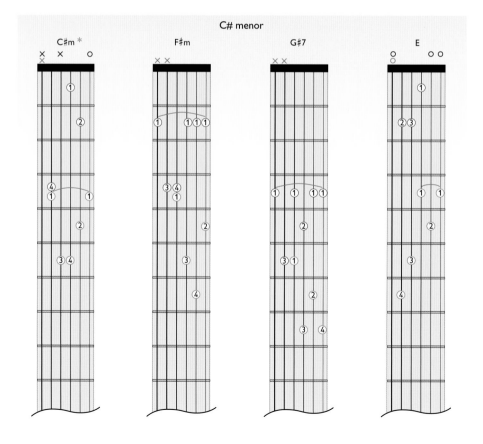

* En el acorde más
bajo, amortigüe la
4.ª cuerda con el
lateral del cuarto
dedo.

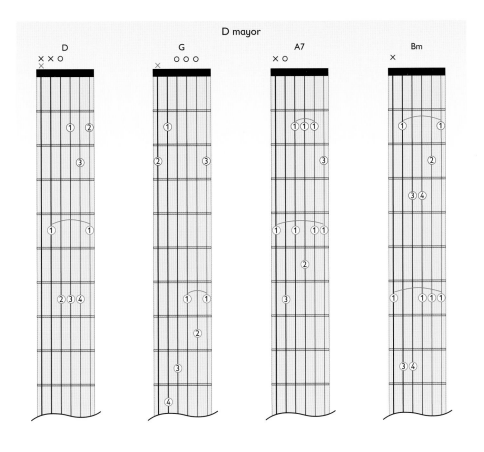

D mayor

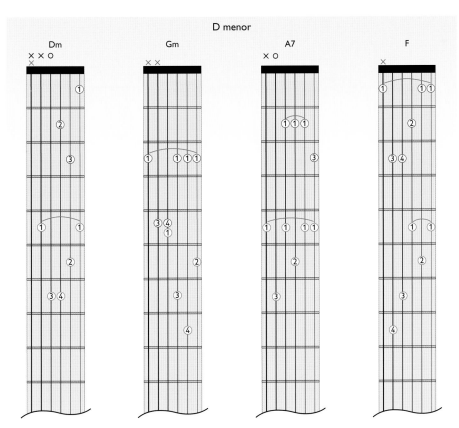

D menor

Diccionario de acordes

Diccionario de acordes

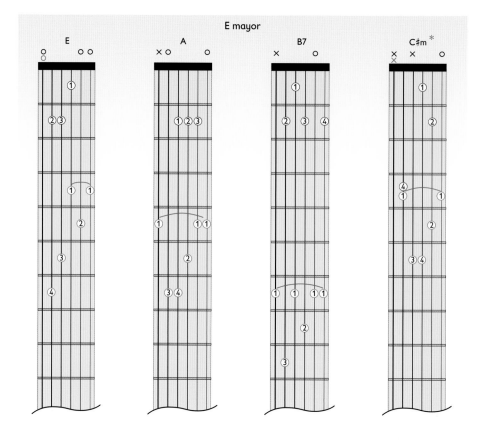

E mayor

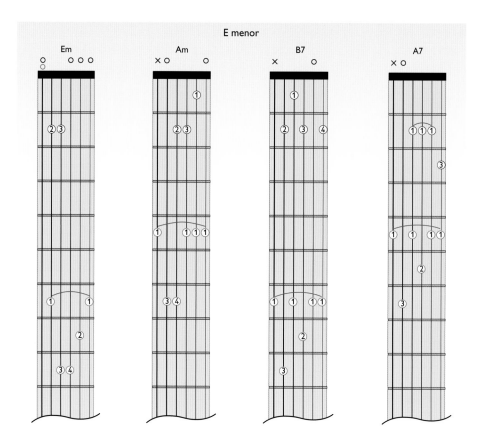

E menor

* En el acorde más bajo, amortigüe la 4.ª cuerda con el lateral del cuarto dedo.

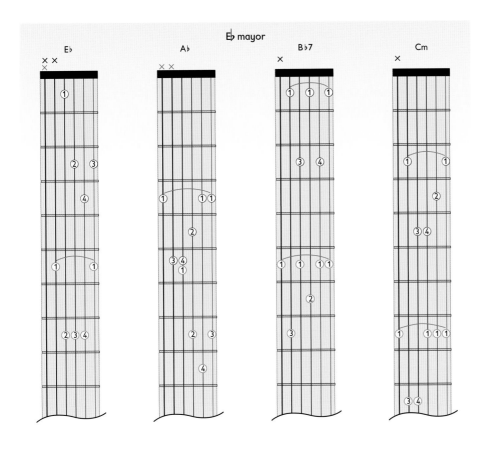

Eb mayor

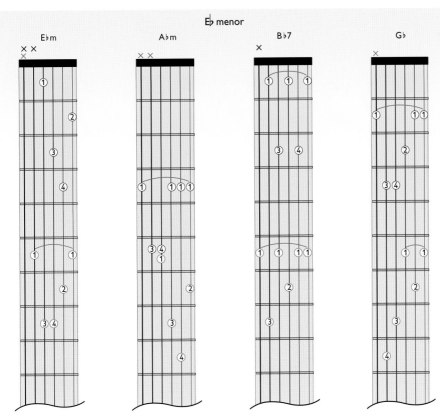

Eb menor

Diccionario de acordes

Diccionario de acordes

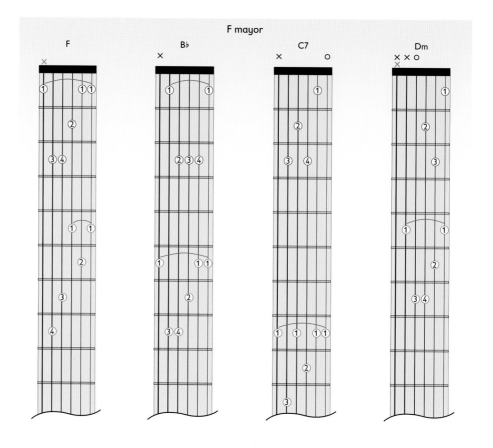

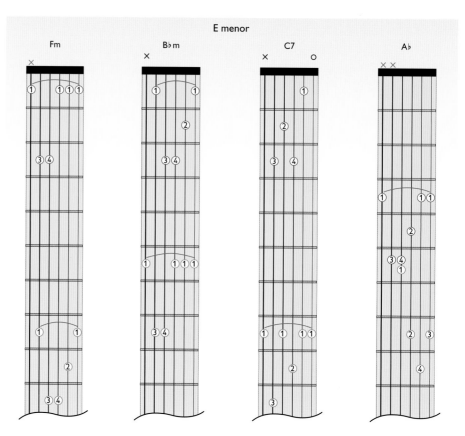

F# mayor

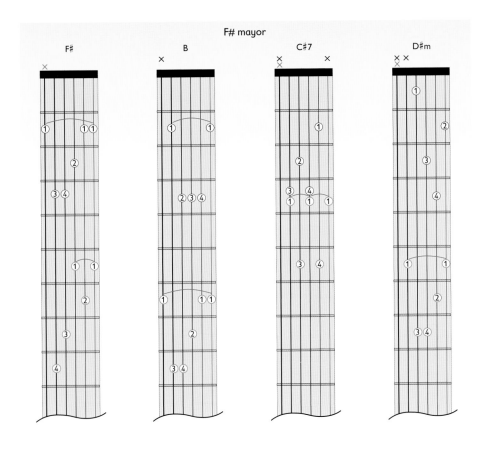

F# menor

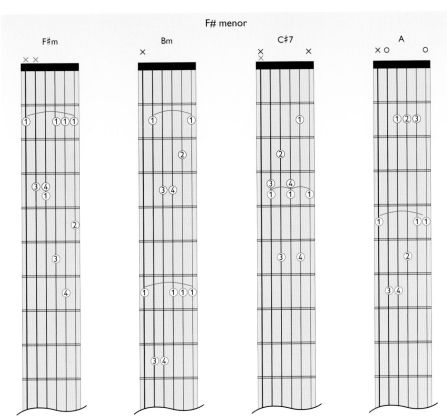

Diccionario de acordes

Diccionario de acordes

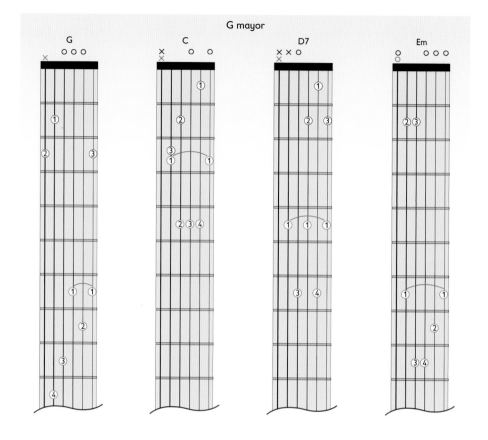

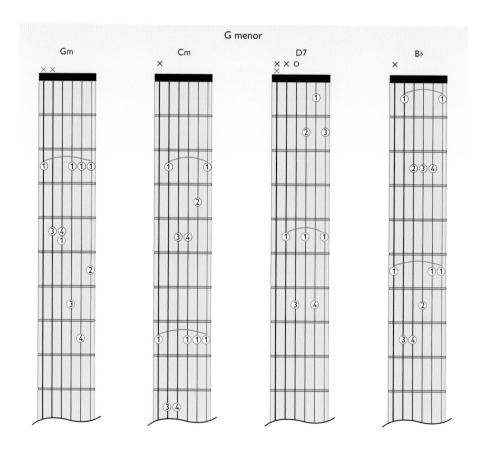

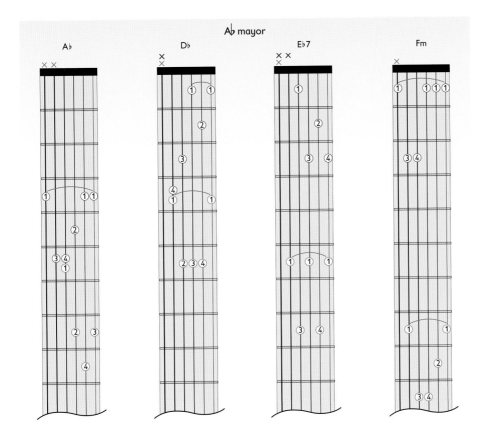

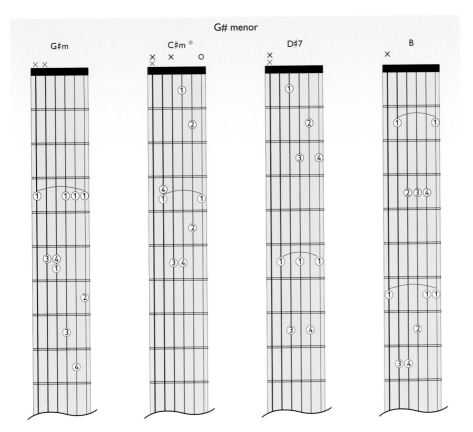

Diccionario de acordes

* En el acorde más bajo, amortigüe la 4.ª cuerda con el lateral del cuarto dedo.

Términos usuales

Acción

Altura de las cuerdas de la guitarra sobre el diapasón. La acción depende en gran medida de la situación de la cejilla y el puente, y del ángulo del mástil; una configuración baja es más fácil para los dedos de la mano izquierda, pero puede debilitar el tono del instrumento (sobre todo en las guitarras acústicas), sonar con poca nitidez y producir zumbidos.

Acorde aumentado

Acorde creado desde tres notas, todas ellas separadas por un intervalo de una tercera mayor.

Acorde disminuido

Acorde creado sobre tres o cuatro notas separadas entre ellas por una tercera menor.

Acústica

Véase Guitarra acústica.

Afinación abierta

Tonos alternativos de las cuerdas abiertas de la guitarra, que forman a menudo un acorde específico, es decir, «E abierta» (EBEG#BE) o «G abierta» (DGDGBD). Las afinaciones se muestran de abajo arriba.

Afinación caída

Véase «Drop D».

Afinador

Aparato de tipo de lengüeta muy sencillo que puede dar una referencia de tono práctica para afinar guitarras y otros instrumentos.

Alteración

Símbolo de sostenido (#), bemol (♭) o becuadro (♮) usado para modificar el tono de una nota durante la duración de un compás individual.

Armadura

Grupo de símbolos de sostenido o bemol que aparecen inmediatamente a la derecha de la clave en notación musical, indicando notas que deben subirse o bajarse coherentemente al tocar en una clave específica, e identificando, por tanto, la clave misma.

Armónicos

Tonos que generan el timbre y que suenan al golpear las cuerdas de la guitarra mientras se tocan en varios puntos de «nodo».

Barré

Técnica de la mano izquierda en la que un solo dedo (normalmente el índice) se coloca en el diapasón y sujeta entre dos y seis cuerdas de una vez. El pequeño barré sujeta dos o tres cuerdas; el gran barré supone sujetar cuatro o más cuerdas.

Becuadro

Símbolo (♮) usado para cancelar una bemol o sostenida precedente (en una armadura o alteración cercana) durante la duración de un compás solo.

Bemol

Término o símbolo (♭) aplicado a una nota que indica que debiera bajar un semitono. También describe una afinación defectuosa (de una o más cuerdas de la guitarra), lo que tiene como consecuencia que las notas o acordes sean demasiado bajos de tono.

«Bend»

Véase Doblado.

Blues, «blues de 12 compases o barras»

Género de la música afroamericana que surgió a principios del siglo XX, pero que se remonta a influencias más antiguas. Sus flexiones melódicas y patrones armónicos se encuentran en todo el jazz y en muchas formas del pop y el rock. Su estructura de acordes más común, «el blues de 12 compases», se explica ampliamente en este libro.

Capodastro

Abrazadera mecánica que puede ajustarse en el mástil de la guitarra para sujetar las seis cuerdas en una posición determinada del traste. Permite que acordes que normalmente requieren barré puedan tocarse como digitaciones abiertas.

Cejilla

Bloque estriado encolado al mástil entre el cabezal y el diapasón que configura la altura y el espaciado de las cuerdas según pasan por el cuerpo del instrumento hacia el puente.

Clave

Símbolo que indica las posiciones de las notas en las líneas y espacios de un pentagrama musical. La música de guitarra se escribe en clave para agudos o clave de G, una octava por encima de lo que suena. Otros instrumentos y voces usan el bajo o la clave de F, y la clave de C (alto o tenor).

Clavijas

Los dispositivos mecánicos para enrollar y afinar las cuerdas que van fijados al cabezal de la guitarra.

Clavijero

Sección del mástil de la guitarra sobre la cejilla. Soporta las clavijas sobre las que van enrolladas las cuerdas y con las que se afinan estas.

Combo (Combinado)

Amplificador y altavoz (o altavoces) construidos en un armario único y relativamente compacto. (Véase «Stack».)

Compás

Medida rítmica que contiene un número de pulsos que se repiten. En la notación musical, los compases están «marcados» por líneas verticales a lo largo del pentagrama.

Concierto

Véase Tono de concierto.

Cromática

Véase Escala cromática.

Cuerda abierta

Cuerda tocada sin sujetarla en el traste. Los tonos estándar «abiertos» de las seis cuerdas de la guitarra son (de abajo arriba) EADGBE.

«Cutaway»

Sección cortada del cuerpo de una guitarra adyacente a su mástil, diseñada así para permitir un acceso más fácil a los trastes más altos, pero también por motivos estéticos.

Diapasón

La superficie superior del mástil de la guitarra, hecha habitualmente de palisandro, arce o ébano. Lleva incrustados los trastes de metal.

Doblado («Bend»)

Técnica de la mano izquierda, usada extensivamente por los instrumentistas de pop y rock, en la que se toca una cuerda para crear una fluctuación en su tono.

Dominante

El quinto «paso» en una escala mayor o menor, y el acorde por el que esta nota forma la raíz.

«Drop D» (Afinación caída)

Modificación simple de la afinación normal de una guitarra, en la que la 6.ª cuerda (E) se baja un tono a D.

Eléctrica

Véase Guitarra eléctrica.

Enarmónicos

Dependiendo de las tonalidades y los contextos musicales en los que aparecen, las notas o los acordes que comparten el mismo tono en la guitarra pueden ser descritos usando la terminología «sostenido» o «bemol» (C#/D♭). Dichos nombres alternativos para notas idénticas se conocen como «equivalentes enarmónicos».

Escala cromática

Sucesión de notas separadas entre ellas por un semitono.

«Fingerstyle»

Método de golpear las cuerdas de la guitarra con el dedo y las yemas/uñas de los dedos de la mano derecha (o con *fingerpicks*) en vez de usar una púa.

Frecuencia

El número de ciclos de vibración por segundo (medido en hercios) de una nota dada. Las vibraciones más rápidas generan tonos más altos.

Frente

El frente o parte superior de la guitarra sobre la que van montadas las cuerdas y el puente.

Guitarra acústica

Guitarra que puede proyectar su sonido de forma natural, sin electrónica. (Véase Guitarra eléctrica.)

Guitarra clásica

Guitarra acústica de cuerdas de nailon que se toca con los dedos. Usada en la música clásica occidental por instrumentistas famosos, como Andrés Segovia, Julian Bream y John Williams; por músicos españoles de flamenco y por muchos instrumentistas de jazz y pop.

Guitarra eléctrica

Guitarra que produce la mayoría o todos sus tonos mediante pastillas y amplificación electrónica en vez de por medios acústicos. (Véase Guitarra acústica.)

Intervalo

Distancia en tono (medida en semitonos o tonos) entre dos notas.

«Lick»

Floritura musical memorable de una guitarra u otro instrumento, usada a veces como puntuación o como trampolín para un solo.

Ligadura

Línea curva que se usa en la notación musical para indicar que dos o más notas deben combinarse sin un espacio entre ellas.

Líneas suplementarias

Líneas horizontales que se usan para indicar el tono de las notas que están encima o debajo del pentagrama.

Marca de tiempo

Código de dos números que aparece al principio de una notación musical, indicando el número y tipo de pulsos en cada compás.

Mayor

Tipo de acorde, escala y tonalidad con un intervalo de cuatro semitonos (una 3.ª mayor) entre su raíz y la tercera.

Menor

Acordes, escalas y tonalidades con un intervalo de tres semitonos (una 3.ª menor) entres sus raíces y las terceras.

Notas de blues

«Pasos» característicos de bemol (normalmente 3.º, 5.º y 7.º) representados en las escalas y usados por el blues y otros estilos relacionados. En la guitarra, estas pueden mejorarse con doblados (bends).

Octava

Intervalo de 12 semitonos, que se corresponde a un doble exacto en la frecuencia y que separa dos o más notas del mismo nombre.

Pastilla

Aparato que convierte las vibraciones de las cuerdas de una guitarra en corrientes eléctricas. Estas pueden ser suministradas por amplificación externa y/o equipo de grabación.

Pentagrama

Uno o más grupos de cinco líneas horizontales sobre las que se escriben las notaciones musicales estándar.

Púa

Chapa de plástico u otro material usada para tocar las cuerdas de acero de las guitarras acústicas y eléctricas.

Puente

Componente fijado al cuerpo de la guitarra que apoya y, a menudo, ancla sus cuerdas y (en la guitarra acústica) transfiere sus vibraciones a la parte superior del instrumento.

Punto

Mecanismo usado en la notación musical. Un punto colocado después de una cuerda expande su longitud la mitad del valor especificado de dicha nota.

Rasguear («Strumming»)

Rasgueos rápidos y rítmicos hacia abajo o hacia arriba de cuerdas contiguas de la guitarra.

Rasgueo hacia abajo («Downstroke»)

Movimiento hacia abajo (esto es, hacia el suelo) de la púa/mano derecha cuando se toca una nota o acorde en una guitarra.

Rasgueo hacia arriba («Upstroke»)

Movimiento hacia arriba (es decir, alejándose del suelo) de la púa/mano derecha cuando se toca una nota o acorde en una guitarra.

Relativa mayor

Tonalidad mayor cuya raíz es la tercera (mediante) nota de una escala menor dada. Las relativas mayores comparten notas, acordes y armaduras con sus homólogas menores.

Relativa menor

Tonalidad menor cuya raíz es la sexta nota (submediante) de una escala mayor dada. Las relativas menores comparten notas, acordes y armaduras con sus homólogas mayores.

«Riff»

Frase musical repetida constantemente (o una variante cercana a ella) que sostiene una canción o solo.

Semitono

El intervalo más pequeño oficialmente reconocido en la música occidental, correspondiente al cambio de tono producido al moverse entre dos trastes vecinos en una guitarra. Dos semitonos = un tono; 12 semitonos = una octava.

Sensible (Nota)
El séptimo «paso» de una escala mayor o menor, separada un semitono de la nota tónica un grado por encima.

«Shuffle»
Subdivisión de un pulso de una negra en tresillos (*triplets*, que dan cuatro grupos de tres notas en un compás) y que se usa mucho en el blues.

«Slide» (Deslizador)
Cilindro de vidrio o metal llevado por el guitarrista en un dedo de su mano izquierda y usado (a menudo con afinaciones abiertas) para producir *bends* de tono y glisandos en notas y acordes.

Sostenido
Termino o símbolo (#) aplicado a una nota que indica que debe elevarse un semitono. También describe la afinación defectuosa, cuya consecuencia son notas o acordes que tienen un tono levemente alto.

«Stack»
Caja(s) de amplificador separada, montada en vertical y armario(s) de altavoz.

Subdominante
El cuarto «paso» en una escala mayor o menor, y el acorde para el que esta nota forma la raíz.

Sujeta cordal
La mayoría de las guitarras de tapa plana y muchas eléctricas llevan puentes que también sirven para anclar sus cuerdas. Otras guitarras usan un conjunto de puente «flotante», combinado con un sujetacordal separado (normalmente una unidad de metal con forma de trapecio) a la que se fijan los terminales de bola.

Suspensión
Nota de un acorde contiguo o precedente, combinada con otro acorde para crear un «choque» musical agradable. Véanse ejemplos y ejercicios para 2.ªs y 4.ªs suspendidas (sus2, sus4).

Tablatura (Tab)
Representación de seis líneas de las cuerdas/diapasón de la guitarra, usadas como alternativa o suplemento, o la notación musical estándar.

Tapa plana
El tipo más común de guitarra acústica con cuerdas de acero, cuyo frente presenta una superficie plana y nivelada, por contraste con las acústicas y eléctricas

«archtop» que tienen la tapa moldeada o ligeramente elevada, con forma parecida a un violín.

Terminal de bola
Fijación circular y pequeña de metal ajustada a un extremo de la cuerda de la guitarra. Permite anclar la cuerda por el puente del instrumento o el sujetacordal.

Tónica
Es la primera nota o raíz en una escala mayor o menor, y el acorde para el que forma la raíz.

Tono de concierto
Estándar aceptado que define el tono de la A sobre la C media en 440 Hz. (Véase Frecuencia.)

Transductor
Pastilla o aparato similar que convierte una forma de energía, como las vibraciones de las cuerdas de una guitarra, en otra (por ejemplo, corriente eléctrica).

Trastes
Protuberancias de metal incrustadas en el diapasón de la guitarra que permiten a las cuerdas elevar su tono (un semitono por traste) cuando son sujetadas en ellos.

Trémolo
Estrictamente hablando, este término musical italiano se refiere a las fluctuaciones rápidas en el volumen de una nota o acorde. Pero entre los guitarristas, se usa a menudo como un nombre inexacto para el vibrato (el término para la fluctuación de tono), y muchos instrumentistas llaman «trémolos» a las unidades de vibrato de sus instrumentos («barras whammy»).

«Truco de los tres acordes»
Nombre popular por el que se conocen los acordes tónico, subdominante y dominante de una tonalidad mayor o menor; se trata de las armonías más usadas en pop y en muchos otros géneros.

«Turnaround» (Vuelta)
Los dos últimos compases del ciclo del blues de 12 compases, durante el cual muchos instrumentistas sustituyen armonías más aventureras por los acordes obligatorios tónico y dominante.

Unidad de «vibrato», «barra whammy»
Unidad mecánica, construida normalmente en el puente o el sujetacordal de una guitarra eléctrica y controlado por una barra o palanca de metal, que puede producir fluctuaciones suaves y a veces efectos más espectaculares de «desafinar».